Patty Howell y Ralph Jones

MATRIMONIO DE CLASE MUNDIAL

Cómo crear la relación que siempre deseaste con la pareja que ya tienes

HJBOOKS

SEGUNDA EDICIÓN, ABRIL DE 2009

Título original: WORLD CLASS MARRIAGE:
How to Create the Relationship You Always Wanted with the
Partner You Already Have.
Traducción: Tiocha Bojórquez Chapela
Revisión técnica: Isaac Béjar
Diseño de portada: Argelia Ayala

IMPRESO EN LOS ESTADOS UNIDOS

Contenido

PARTE 2

Agradecimientos

Probablemente la mayor ventaja que hemos tenido en el ámbito profesional ha sido gozar de la oportunidad de enseñarles habilidades de comunicación a miles de personas de distintos países en todo el mundo. A partir de esta extensa experiencia en cuatro continentes, hemos adquirido innumerables conocimientos sobre nuestros hermanos, los seres humanos. El mayor de todos estos conocimientos es el de saber que somos más parecidos en nuestras necesidades de lo que nos separan nuestras diferencias. Los corazones de estas personas nos han dado calor y nos educaron con su disposición de compartir. Este trabajo se beneficia de la riqueza de estas experiencias. Agradecemos al Dr. Thomas Gordon y sus programas de Entrenamiento Eficaz por esta oportunidad sin paralelos.

También hemos aprendido a través de muchas experiencias de crecimiento personal: estudios profesionales y talleres pertenecientes a diversas disciplinas y, durante varios años, la terapia que nos brindó un médico excelente, además de una adorable persona: el Dr. David Grossman. David nos ayudó a resolver muchos defectos problemáticos de nuestras personalidades individuales, lo cual liberó nuestra relación de innumerables y muy importantes maneras. Él siempre decía: «La mejor inversión que puedes hacer es en ti mismo». Y nosotros cosechamos continuamente los beneficios de esta inversión.

5

Hemos adquirido muchos conocimientos a partir de las parejas con las que hemos trabajado en talleres y consultas privadas, así como de otras personas que generosamente respondieron a nuestras encuestas sobre sus relaciones de pareja. Estamos agradecidos por la. riqueza que al compartirlo con nosotros añadieron a este trabajo.

Esta edición no existiría sin la energía y el apoyo de nuestro amigo y agente Isaac Béjar, quien descubrió el pequeño folleto titulado Matrimonio de Clase Mundial (que le enviamos a su finado padre, José Béjar, un estimado colega nuestro en los entrenamientos de Gordon). A Isaac le encantó el folleto y se lo enseñó a su esposa, Sonia Kleiman de Béjar. Su entusiasmo ha sido fundamental para llevar tanto este libro como el programa de entrenamiento Matrimonio de Clase Mundial™ a México y al resto de Latinoamérica.

Finalmente, deseamos expresarle nuestra gratitud a Doris Bravo, editora en Editorial Diana, por su entusiasmo en relación con nuestro trabajo, y por su dedicación para lograr la publicación de esta obra.

P.H. y R.J.

Un Matrimonio de Clase Mundial

*Un Matrimonio de Clase Mundial es una relación dinámica
y especial llena de amor, cuidado por el otro y confianza,
todo sobre la base del conocimiento de que ambos
compañeros vierten en su relación el compromiso
de seguir rutas de vida y amor que nutran
el crecimiento, la felicidad
y la satisfacción de ambos.*

Patty Howell y Ralph Jones

Introducción a la
Segunda Edición en Español

Estamos encantados con el fuerte y positivo recibimiento que *Matrimonio de Clase Mundial* ha tenido, el cual ha llevado a la pronta publicación de esta segunda edición.

Mucha gente ha sido importante para el éxito de este libro, empezando con Isaac Béjar de Guadalajara, México, quien descubrió una copia de la versión en inglés *World Class Marriage*, en el escritorio de su padre, y le gustó tanto que ofreció presentarlo a Editorial Diana, una importante casa de publicaciones en la ciudad de México. Estamos agradecidos también con Editorial Diana, quien se convirtió en el editor de la primera edición, y a su editora en turno Doris Bravo, por su dirección y supervisión de este libro.

Un fuerte apoyo a este libro en los Estados Unidos, proviene de California Healthy Marriages Coalition, cuya concesión Healthy Marriage Demonstration Grant, otorgada por el U.S. Health and Human Services/Administration for Children and Families, patrocina el taller Train–the–Facilitator (Entrenando al Instructor), para instructores que deseen enseñar

9

nuestro taller de 15 horas Matrimonio de Clase Mundial para parejas, que está basado en este libro. Estamos también muy agradecidos con el Obispo John Sánchez, Director Ejecutivo de San Diego North County Latino Marriage and Family Resource Center, y Ariel Meza, Director Ejecutivo de AMOR de Orange County, líderes importantes que están trayendo clases de *Matrimonio de clase Mundial* a las parejas en sus comunidades.

Porque el éxito o fracaso matrimonial impacta muchos aspectos de la vida de una persona, así como la vida de sus hijos, creemos que equipar a las parejas con estas habilidades, es una de las más importantes maneras con las que podemos cambiar la cultura para bien. El Healthy Marriages movement (Movimiento de Matrimonios Saludables), se basa en los datos de una amplia investigación que demuestra, que las habilidades matrimoniales se pueden aprender, y están fuertemente asociadas con el éxito matrimonial. Nuestra meta es ver que las habilidades para matrimonios saludables, sean parte de la leche materna de nuestra cultura. Logrando esto, los educadores matrimoniales se mantendrán ocupados por muchos años.

Mientras tanto, estamos encantados y motivados, de que muchas parejas agradezcan la contribución que *Matrimonio de clase Mundial*, y el curso basado en este libro, ha hecho a sus vidas. Agradecemos a cada uno que ha hecho posible la segunda edición de este libro

Patty Howell y Ralph Jones
Leucadia, California
Abril de 2009.

El amor puede ser ciego, pero el matrimonio abre los ojos.
Anónimo

La Naturaleza del Matrimonio

Encontrar una pareja, alguien con quién compartir nuestra existencia, es una de las grandes búsquedas de la vida. Pasamos nuestra adolescencia y edad adulta temprana aprendiendo la manera de identificar, atraer y «atrapar» a la persona indicada. Encontrar a alguien atractivo para uno es una experiencia de gran intensidad, llena de emoción y profundos sentimientos de validación como ser humano. Esta saturación de felicidad es su propia recompensa. Tú y esa otra maravillosa persona comparten intereses en común, se gustan mutuamente, se aman y quieren pasar la vida juntos... ¿qué más puedes pedir?

Muy pocos piden mucho más que esto. Sin embargo, la vida nos presenta oportunidades y retos de profunda complejidad y es a través de la relación del matrimonio que experimentamos con mayor profundidad el rango completo de alegrías y tristezas de la vida. Por tanto, la relación del matrimonio tiene una gran importancia sobre quiénes somos, cómo nos relacionamos con el mundo, cuáles son nuestras opciones, qué caminos queremos seguir: sobre la esencia misma y la sustancia de nuestra vida.

Encontrar una pareja y enamorarse es una cuestión de romance, atracción, hormonas, excitación, fantasía, sueños, ilusión, esperanza. Una vez que hemos encontrado a nuestra pareja y nos hemos comprometido con la relación, nos asentamos confortablemente en un dúo. Entonces, de quién sabe dónde, la Vida aparece. Nuestros trabajos comienzan a demandar más de nosotros mismos, los niños representan numerosos retos, a veces tenemos que lidiar con problemas de salud y económicos: gran cantidad de retos complejos, tanto internos como externos a la relación. Algunos de estos retos tienen consecuencias enormes. Así, a la relación de matrimonio, fundada sobre la excitación y la atracción, la felicidad y la esperanza, el optimismo y la levedad, ahora se le pide que ofrezca los cimientos emocionales para que cada miembro de la pareja pueda convertir décadas de retos y riesgos en una vida de éxito y satisfacción.

Se hacen muchas preguntas sobre la relación conyugal hoy en día. Las parejas contemporáneas no aceptan la imagen de un esposo y una esposa viviendo en mundos emotivos distintos, existiendo en una relación con poca comprensión, aceptación o cercanía. Queremos más que eso. Por alguna razón, quizá la complejidad del mundo actual, hemos llegado a pedir más del matrimonio de lo que la gente pedía hace una o dos generaciones. Queremos una relación verdaderamente maravillosa, caracterizada por el amor, el cuidado, la intimidad, la empatia, la aceptación, la genuinidad, y el crecimiento y desarrollo del mejor potencial de cada miembro de la pareja: un Matrimonio de Clase Mundial.

Las decisiones hormonales que tomamos en nuestra temprana edad adulta en cuanto a nuestras relaciones, ¿nos predisponen a una probable decepción marital? No necesariamente, pero en una perspectiva a cinco, diez o veinte años en el camino matrimonial la mayoría de la gente estaría de acuerdo en que entramos al matrimonio con una gran dosis de ingenuidad.

La Luna de Miel

En cualquier relación, la luna de miel dura aproximadamente entre seis y dieciocho meses. Esta luna de miel no tiene nada que ver con el casarse, tiene que ver con la emoción y el gusto que se viven cuando una relación es nueva. Esto afecta lo fácil o difícil que nos resulta pasar por alto ciertos comportamientos de la otra persona. Puedes saber que la luna de miel ha terminado cuando te das cuenta de que tu pareja no es perfecta, de que él o ella tiene algunas características molestas que te sacan de balance. Es en ese momento cuando comienza el verdadero trabajo de construir una relación.

Tristemente, mucha gente no sabe cómo construir una relación exitosa con un imperfecto ser humano. Y la verdad es que todo aquel que quiera estar en una relación tiene que poder construirla con un ser humano falible e imperfecto.

El Matrimonio de Clase Mundial se construye sobre la base de que todos los seres humanos tienen defectos y de que todas las relaciones tienen conflictos. Lo que determina lo satisfactoria que es una relación consiste en lo bien que las personas expresen sus necesidades, escuchen las necesidades de sus parejas, lo bien que resuelvan sus conflictos y se enfrenten juntos a los complejos retos de la vida. Si no manejas estas situaciones hábilmente y de una forma que engrandezca la experiencia de estar juntos, el resultado predecible consiste en frustración y resentimiento, lo que puede significar finalmente el término de una relación. Cuando los dos miembros de la pareja satisfacen sus necesidades dentro de la relación, pueden crecer como seres humanos, y saben que los conflictos y desacuerdos se resolverán de manera que cada uno esté satisfecho con el resultado. En ese momento la relación se hace mucho más profunda. Es a través de este proceso que llegamos a experimentar satisfacción, cercanía y crecimiento de la relación, así como un profundo y verdadero amor por nuestra pareja: un Matrimonio de Clase Mundial.

El Matrimonio y la Persona que Eres

Nosotros, Patty y Ralph, les hemos enseñado habilidades comunicativas a miles de personas en todo el mundo, ayudándoles a mejorar sus relaciones con sus hijos, sus colegas, sus amigos y entre sí. Sin embargo, no fue sino hasta que comenzamos a trabajar con parejas que reconocimos con claridad la primacía de la relación de matrimonio dentro de la definición de quién es una persona y si su vida le parece o no, satisfactoria. La gente que tiene problemas en el trabajo o con sus hijos experimenta preocupación, ansiedad, dolor y otros sentimientos difíciles. Sin embargo, estas relaciones, sin tomar en cuenta lo importantes o estresantes que sean, siempre se mantienen a cierta distancia de nuestro núcleo más profundo. Nada define quiénes somos y lo felices que nos sentimos con la misma intensidad que nuestra principal relación: nuestro matrimonio, ya sea que esté formalizado o no.

Incluso la relación con nuestros padres con el tiempo le cede el lugar al matrimonio en cuanto a la definición de quiénes somos. Nuestra relación de hijos ante nuestros padres nos resulta de suma importancia durante los primeros veinte años aproximadamente. Después de eso, cuando «nos valemos por nosotros mismos», nuestro desarrollo como personas continúa y comenzamos a ver cada vez más a nuestra infancia como «entonces» y no como «quien soy» ahora. Aunque nos formamos en gran medida a la manera de nuestros padres, y heredamos de ellos muchas tendencias, en general nos definimos como seres distintos a ellos. El impacto de la relación de matrimonio sobre nuestra identidad es tan fuerte que, después de varios años, el sentimiento de una identidad fundida, de compartir juntos un destino, es tan poderoso que a pesar de tener características dramáticamente diferentes entre sí, mucha gente siente formar parte de una unidad con su pareja. El sentido de «nosotros» puede ser profundo, sin importar si se es, o no, verdaderamente feliz con la otra persona.

En el caso de quienes han llegado a estar menos que felices en su relación, este sentimiento de identidad puede llegar a sentirse como una trampa. Puede parecer que la madre naturaleza les asestó un cruel golpe al haberlos juntado. Después de la luna de miel, el esposo como salido del barco del amor, o la hermosa princesa encantada, se han convertido sólo en personas normales, con puntos buenos y malos, con atractivas cualidades que encajan fácilmente con nuestra personalidad, y algunas características problemáticas con las que chocamos. A veces parece que las características problemáticas de nuestra pareja condenarán la relación, y a veces nos parece que son nuestros propios problemas los que harán eso mismo.

Relaciones y Crecimiento

La naturaleza no te jugó una mala pasada. Esas poderosas hormonas sirven de alguna manera para allanar el camino, ayudándonos a sobreponernos a los miedos que la mayoría sentimos al entrar en una relación seria y comprometida. Si la atracción es lo suficientemente grande (y si nuestros pensamientos racionales aprueban el cierre del trato), las hormonas nos ayudan a tomar una importante, atemorizadora, decisión de vida: formar parte de una pareja.

Así que nos casamos o de alguna manera creamos una relación comprometida con nuestra nueva pareja y experimentamos el gozo de la fase de luna de miel. Una vez que disminuye la cegadora intensidad de esa luna de miel, tenemos la oportunidad de empezar a construir una vida juntos permanente, que nos ofrezca aún más recompensas. Los retos que tengamos nos harán pruebas, nos cuestionarán, nos harán crecer, y nos definirán de la manera más. profunda posible. La relación se convierte en nuestro perpetuo tablero de juegos, sobre el cual nos enfrentamos a los desafíos del juego de la vida, en el cual el crecimiento (tanto individual como dentro de la pareja) es el resultado deseado.

Este juego, el más importante de todos, te retará de maneras que ni siquiera puedes imaginar al comenzar con la relación. Al pasar el tiempo, compartirán triunfos y fracasos, salud y enfermedad, ganancias y pérdidas... de proporciones abrumadoras en algunos casos. Para aquellos que deseen construir una mayor excelencia al jugar el juego, y obtener una mayor satisfacción del proceso, *Matrimonio de Clase Mundial* está diseñado para funcionar como un confiable Manual del Usuario.

Lo que la mayor parte de nosotros desea en nuestra relación posterior a la luna de miel es tener una pareja que verdaderamente esté (de una manera confiable) con nosotros a medida que avanzamos por la vida. Y la verdad es que nadie es una excelente pareja al comenzar una relación. Todos tenemos mucho que aprender. De la misma manera en que la vida se trata de aprender, el matrimonio se trata de aprender juntos: cómo enfrentar retos complejos de manera exitosa y hacerlo de forma que ambos crezcan, como individuos y como miembros de la pareja.

Agradezcamos las hormonas que nos brindan el valor para comenzar una vida juntos y nos seguirán dando grandes placeres y felicidades. Reconozcamos también la profunda naturaleza de una relación de matrimonio con su profundo impacto sobre todos los aspectos de nuestras vidas. Reconozcamos que, para todos nosotros, aprender a tener un Matrimonio de Clase Mundial es un reto de toda la vida. Y también agradezcamos a esa valiente persona que estuvo de acuerdo en formar pareja con nosotros, a medida que aprendemos a crear una vida dinámica y satisfactoria juntos.

La vida es rica, siempre cambiante y siempre desafiante, y… los arquitectos tienen la tarea… de transformar las aspiraciones humanas en un espacio habitable y significativo.

Arthur Erickson

La Estructura de un Matrimonio de Clase Mundial

Lo que Funciona y lo que No Funciona

La mayor parte de la gente no sabe en verdad lo que se requiere para hacer funcionar un matrimonio, por más que revistas, folletines y programas televisivos le abrumen con sus consejos. En ocasiones, estos consejos son contradictorios y a menudo se basan exclusivamente en prejuicios o puntos de vista personales bien intencionados. Al enfrentarse a la poca claridad existente en esta importante faceta de sus vidas personales, la mayoría de las parejas intentan tener éxito en su relación pero no tienen absoluta confianza en saber qué será necesario para «montar el toro», así que terminan aferrándose a las riendas y deseando que suceda lo mejor.

Diana Sollee, fundadora y directora de la Coalición para la Educación de Matrimonios, Familias y Parejas[1], dice que un factor crucial para ayudar a que las personas sobrepasen el sentimiento de que el éxito en el matrimonio se fundamenta en la suerte, consiste en reconocer que el matrimonio es una relación basada en habilidades. Sin embargo, durante la

---

1. Diana Sollee, directora, Coalition for Marriage, Family and Couples Education, 5310 Belt Rd., NW, Washington, D.C. 20015. [wvpw.smartmarriages.com]

mayor parte de la civilización humana, ha existido muy poca información sólida sobre las cosas que afectan el resultado de un matrimonio, así como las habilidades que requiere.

John Gottman y sus colegas en la Universidad de Washington han realizado durante más de veinte años un trabajo pionero en el estudio de cientos de parejas interactuando juntas en un contexto similar al casero. Sus datos[2] arrojan gran claridad sobre los comportamientos asociados con el fracaso de un matrimonio. Esta información es valiosa y nos parece que debería difundirse más.

Sorprendentemente, Gottman y sus colegas identificaron siete comportamientos que les permiten predecir un futuro divorcio, con más de 90% de exactitud, después de observar a una pareja discutir un tema de su matrimonio durante sólo cinco minutos.

Estos siete factores para la predicción del divorcio son:

1. **Inicio hostil de la discusión**: inmediata actitud negativa o acusadora al enfrentar a la pareja.

2. **Criticismo**: decir cosas negativas sobre el carácter o la personalidad de la pareja.

3. **Desprecio**: desprecio, sarcasmo, cinismo, insultos, burlas, humor hostil, rechazo.

4. **Defensiva**: justificar el comportamiento propio, atacando mejor a la pareja.

5. **Actitud infranqueable** o «convertirse en pared»: evadirse, retirarse, negarse a hablar o reaccionar, o volverse incapaz de hacerlo.

---

2. John M. Gottman, Ph. D., y Nan Silver, The Seven Principies for Making Marriage Work (1999). Nueva York: Crown Publishers, Inc.

6. **Inundación**: respuesta fisiológica ante la negatividad de la pareja, se caracteriza por un aumento en el ritmo cardiaco, en la secreción de adrenalina, en la presión sanguínea, y por el sentimiento de estar abrumado(a).

7. **Intentos fallidos de reparación**: se ignoran los intentos de uno de los miembros de la pareja por reparar los daños y evitar que escale la negatividad hasta que salga de control, o se topan de alguna otra forma con el fracaso.

La información de Gottman nos dice lo que no funciona: los comportamientos comunes que pueden hacer que un matrimonio se desplome como un castillo de naipes. Si deseas crear un Matrimonio de Clase Mundial con tu pareja, los datos de Gottman te dan una idea clara de lo que no debes hacer.

¿Cuáles son entonces los ingredientes positivos que ayudan a que crezca un matrimonio? El matrimonio es un organismo complejo, una estructura viviente. Las estructuras fuertes necesitan de cimientos firmes. No es suficiente simplemente evitar los comportamientos que nos sirven para predecir la destrucción de un matrimonio. Resulta esencial incorporar en la relación comportamientos que ofrezcan cimientos fuertes para el crecimiento y la satisfacción. Los cimientos que se necesitan para un Matrimonio de Clase Mundial se crean con aquellas condiciones que han demostrado ayudar al crecimiento de los seres humanos: Empatia, Aceptación, Genuinidad.

A partir de la innovadora aproximación a la terapia centrada en la persona, de Cari Rogers, desarrollada en la década de los cuarenta, brotó una fascinante serie de investigaciones[3] que mostraron que, sin importar la orientación teórica

3. C.B. Truax, «Effective ingredients in psychotherapy: an approach to unraveling the

del terapeuta, los factores más importantes para predecir la capacidad de un paciente para lidiar exitosamente con sus problemas se relacionaban con la capacidad del terapeuta de ofrecer Empatia, Aceptación y Genuinidad. Estos estudios han sido aceptados por los profesionales como las tres condiciones necesarias y suficientes para que se dé el crecimiento. A partir tanto de nuestro trabajo profesional como de nuestras experiencias personales en nuestra relación, creemos fuertemente en la importancia de estas condiciones como la base de un Matrimonio de Clase Mundial.

Sobre estos cimientos, visualizamos 16 pilares que apoyan y elevan la relación: *1. Fijar metas; 2. Evitar las culpas; 3. Asumir responsabilidad propia; 4. Comprender la naturaleza del comportamiento; 5. Utilizar la Forma Poderosa de Escuchar; 6. Olvidar «unas por otras»; 7. Reconocer los peligros de las expresiones irónicas; 8. Aprender a manejar temas espinosos; 9. Dar cariño de la forma que cuenta; 10. Cambiar comportamientos, no a tu pareja; 11. Resolver conflictos y desacuerdos; 12. Saber cuándo rendirse; 13. Ofrecer disculpas y perdonar; 14. Crecimiento personal; 15. Nutrir la luna de miel; y 16. Forjar nexos.*

Estos 16 pilares, apuntalados por las Tres Condiciones que alientan el crecimiento, crean una estructura fuerte que nutre al crecimiento de la relación y a la gente que la comparte, «transformando las aspiraciones humanas en espacio significativo y habitable».

Te invitamos a unirte a nosotros para crear ese espacio significativo en tu relación.

---

patient–therapist interaction», Journal of Counseling Psychology, 10 (1963), 256–263; Carkhuff y Berenson, Berenson y Carkhuff, Truax y Carkhuff, et al

ESTRUCTURA DE UN
MATRIMONIO DE CLASE MUNDIAL

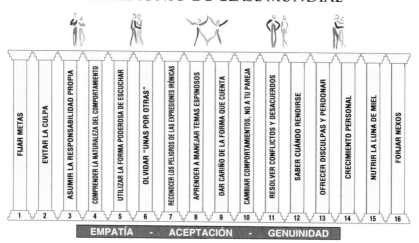

LOS 16 PILARES
APUNTALADOS POR LAS TRES CONDICIONES QUE ALIENTAN EL CRECIMIENTO
DE UN MATRIMONIO DE CLASE MUNDIAL

PARTE UNO

Los 16 Pilares de un
Matrimonio de Clase Mundial

«El que está destinado a las estrellas no da marcha atrás».

Leonardo Da Vinci

PILAR 1

Fijar Metas

Una famosa caricatura de la revista *New Yorker* muestra a un hombre tirado felizmente sobre un sofá, sin zapatos, con los ojos cerrados, medio dormido. De repente su esposa entra al cuarto con una pizarra en la mano, proclamando: *«Si te parece bien, pensé que esta noche podríamos hacer algunos planes a largo plazo».*

La idea de los planes a largo plazo y de la definición de grandes metas puede ser igual de bienvenida por algunas parejas como obviamente lo fue por el hombre de la caricatura: es decir, para nada. Pero las metas bien definidas pueden ser un ingrediente clave en el éxito de un matrimonio.

Sin estas metas tendemos a divagar, el tiempo pasa sin un significado real, y la relación no se nutre con los gozos que ofrecen los logros ganados con base en el esfuerzo.

Gracias a ellas, nuestras vidas se ven rescatadas de la monotonía y el aburrimiento, de las quejas y disputas menores, a medida que nos esforzamos por alcanzar nuestra estrella personal.

Por supuesto que tu relación puede venir equipada con algunas metas previas que ya te son útiles. Normalmente, éstas incluyen el construir una vida feliz juntos, hacer suficiente dinero para mantenerse, avanzar en sus carreras y, en la mayor parte de los matrimonios, tener y criar niños exitosos. Esto es lo básico.

Más allá de esto se encuentran los sueños y deseos que hacen que sus vidas y su relación sean únicas, que los involucran en algo mayor que las preocupaciones cotidianas. Las metas impulsan la relación. Ellas definen un punto y ponen viento en tus velas para permitir que la relación viaje hasta nuevas y emocionantes playas. Las metas añaden la dinámica del propósito: un compuesto vitamínico que aumenta el vigor de tu relación.

Quizá quieras ayudar a eliminar el hambre mundial, reducir el analfabetismo, entrenarte para ser un corredor de maratones, poder hablar un idioma nuevo de manera que te sientas como en casa en otro país, aprender a hacer híbridos de orquídeas, convertirte en un experto en muebles antiguos, dejar tu trabajo y empezar tu propio negocio, o regresar a la escuela para obtener un grado superior.

Las posibilidades existentes de metas excitantes son infinitas. Encontrar la meta o metas apropiadas para ti es cuestión de buscar en tu corazón y en tu mente para descubrir tus sueños personales, y de examinar el mundo a tu alrededor para descubrir los deseos y necesidades, de manera que puedas contribuir.

Tipos de Metas

Existen dos tipos de metas: las que ambos comparten y aquellas a las que sólo uno de los dos aspira. La mayor parte de la literatura relacionada con el tema recalca la importancia de tener metas en común, pero pasa por alto el gran valor que añade a una relación el que cada miembro de la pareja tenga y persiga sus propias metas individuales, siempre y cuando el otro miembro las perciba como metas deseables y legítimas. Al primer tipo le llamamos *Metas Compartidas* y al segundo tipo *Metas Acordadas*.

Si revisas de nuevo la lista hipotética de metas que mencionamos tres párrafos atrás, verás que cada una de ellas puede ser tanto una Meta Compartida como una Meta Acordada. Quizá los dos comiencen a correr, quizá lo haga sólo uno de ustedes. Quizá ella comience a aprender una nueva lengua por su lado y tiempo después él decida unírsele. Las metas pueden compartirse en el momento, compartirse con el paso del tiempo o ser aceptadas y apoyadas por el otro. Sin importar cómo se les incluya en la relación, las metas le añadirán un sentido de propósito a sus vidas y las elevarán hasta un nuevo nivel.

Metas Compartidas

Estos son algunos ejemplos de parejas con Metas Compartidas:

Dave y Lauren regresaron de unas vacaciones con la receta de una salsa deliciosa. Le vieron tanto potencial como producto que decidieron crear un pequeño negocio para la elaboración y distribución de esta salsa. Lauren perfeccionó la receta para adaptarla a grandes cantidades, mientras que Dave obtuvo la licencia para el negocio e identificó un proveedor de frascos para envasar la salsa. Juntos le dieron un nombre al producto y están investigando sobre los canales de distribución. Ambos están emocionados con esta nueva aventura de negocios y piensan comenzar con la producción en los próximos meses. Ahora les parecen historia las preocupaciones del año pasado, centradas en su relación.

Además de sus trabajos, Larry y Yuko se emplean juntos muchas horas como voluntarios para conseguir dinero y ayudar en un refugio para personas sin hogar. Ambos están convencidos de que se le debe dar un lecho y comida caliente a la gente que vive en las calles, así como debe ayudársele con los problemas que le impidan tener un hogar. Larry y Yuko han estado involucrados con el albergue durante catorce años y esta cruzada es una parte central en sus vidas. Larry dice: «Trabajar (con la organización) ha sido una experiencia que he disfrutado a fondo... La gente es maravillosa y hace mucho bien». Por su parte, Yuko dice: «Este trabajo hace que nuestras vidas cobren sentido».

Para nosotros, una meta compartida que nos ha recompensado mucho ha sido la creación de este libro, así como la del programa de entrenamiento vinculado con él. Compartimos el trabajo de escritura (cada uno hace los borradores de secciones distintas) y luego corregimos el trabajo del otro. La asignación de capítulos y demás tareas se anotan en una pizarra, donde las actualizamos regularmente, y cada uno se responsabiliza de las distintas facetas del proyecto general. Apenas recordamos ya la falta de dirección que sentíamos hace tres años, cuando Ralph dejó la organización en la que había trabajado durante 28 años y yo acababa de terminar un gran proyecto con una organización no lucrativa. Ninguno de los dos sabía qué hacer después. Esta constante Meta Compartida le ha añadido sentido y gran satisfacción a nuestras vidas.

Casi todas las parejas comprenden que las Metas Compartidas son ladrillos importantes en su relación. La mayoría de las parejas espera tener Metas Compartidas. Sin embargo, aveces uno de los miembros da por sentado que su visión del mundo se ha convertido automáticamente en una Meta Compartida, cuando, de hecho, no es así. O puede ser que se comparta claramente una meta, pero no se hayan definido los pasos a seguir para alcanzarla. Por esta razón, es importante que las metas se expresen de manera verbal y se discutan, para lograr que pasen del terreno de la vaguedad al del acuerdo franco, y que puedan trabajar juntos para especificar el proceso e identificar quién hará qué para contribuir al resultado deseado.

Metas Acordadas

¿Qué hay de una meta que sólo desea uno de los miembros de la pareja? Se convierte en una *Meta Acordada* y en una faceta importante de la relación si el otro miembro de la pareja dice: «¡Adelante! No es para mí, pero te apoyaré en tu búsqueda». Con metas separadas, pero aceptadas, se nutre el crecimiento de cada uno de los miembros de la pareja, no se abandonan los sueños personales y el resultado es enriquecimiento para ambos, lo que a su vez enriquece la relación.

Uno de los miembros de la pareja puede darse cuenta de que siempre ha deseado pilotear un aeroplano y decidir que le gustaría aprender a volar. Su pareja no tiene interés en volar, pero está de acuerdo en apoyarla en lo económico, en aceptar el tiempo que le toma este interés, en alentar sus estudios, y en echarle porras a medida que aumentan sus habilidades en el tablero de control. Esta pareja tiene una Meta Acordada. Aquí hay otros ejemplos:

> Ryan, un exitoso ingeniero en computación, siempre soñó secretamente dar clases de Historia. Después de mucho reflexionarlo internamente y de grandes pláticas con Carol, acordaron que ella continuaría trabajando mientras él regresaba a la escuela para acabar sus estudios de historia para poder enseñar a nivel secundario. Carol estuvo de acuerdo con la meta de Ryan y lo apoyó para alcanzarla. Ahora que él ha empezado a dar clases, ambos se sienten más a gusto en los círculos sociales académicos de lo que se sentían entre los miembros de la industria de la alta tecnología.

> Ian es médico y posee un consultorio familiar, pero su verdadera pasión es la evolución. Con el consentimiento de su esposa, pasa un mes de cada año en la selva tropical de

Costa Rica, o el desierto de Sonora, en México, estudiando orquídeas salvajes y serpientes poco comunes, dentro de su habitat natural, ya que le fascinan porque se encuentran entre los organismos más primitivos, poco evolucionados, aunque relativamente accesibles, del mundo. El trabajo de Ian ha sido publicado varias veces, y aunque a su esposa no le interesan las serpientes ni las selvas tropicales, está orgullosa de que los apasionados intereses de su esposo le hayan dado una profunda satisfacción y muchos reconocimientos.

Un ejemplo de una Meta Aceptada en nuestra relación es mi interés en las rosas. Yo (Patty) durante muchos años cultivé rosas y participé en exhibiciones. Quería la mayor experiencia posible y tener éxito ganando trofeos en las exhibiciones, tanto locales como interestatales. Para aprender sobre las nuevas variedades de rosas y técnicas de cultivo, hice modificaciones en nuestro patio trasero para agrandar mis viveros, y le dedicaba muchas horas a las tareas y los placeres asociados con el cultivo de las rosas. Aunque a Ralph las rosas tan sólo le interesaban levemente, aceptó sin problemas que yo buscara esas metas, así que yo disfruté de mis muchos logros como horticultora, así como del proceso para llegar a ellos.

A lo largo del camino, Ralph me acompañó a reuniones y exhibiciones, cavó hoyos para plantar rosas, me ayudó a deshojar en invierno, y de hecho se volvió casi un experto en lo relacionado con las rosas, ¡llegando incluso a recibir llamadas de hombres amigos suyos preocupados por sus propias rosas! Sin embargo era mi pasatiempo, no el suyo; y era también un ejemplo de la cercanía y los placeres que pueden obtenerse cuando la meta de uno de los miembros de la pareja es apoyada completamente por el otro.

Apoyar a tu pareja para alcanzar una meta que sólo a él o a ella le resulta importante, nutre su sentimiento mutuo como compañeros, nutre a tu pareja a medida que se esfuerza por lograr sus objetivos y nutre tu propio sentimiento de autoestima como una persona amorosa que puede brindar apoyo. Ambos miembros de la pareja se benefician con las Metas Acordadas.

Desarrollar metas con tu pareja (tanto Compartidas como Acordadas) es una manera importante de desarrollar lazos de cercanía, así como de darles libertad, dirección y significado a sus vidas. Saber que tu pareja trabaja hacia una meta compartida, o que apoya completamente algo que sólo resulta importante para ti, hace que te sientas apreciada, y que ambos estén conectados profundamente. ¡Una vez que reconozcas esto y consideres a las metas como herramientas útiles que te conducirán hacia la felicidad, la satisfacción personal y un mayor sentimiento de unión, querrás tomar de inmediato tu propia pizarra de tareas!

Le encontramos errores a la misma perfección.

Blaise Pascal

PILAR 2

Evitar la Culpa

Cuando algo sale mal, todos, excepto los santos, asignan culpas en menos tiempo del que se necesita para un parpadeo. Y por lo general, con igual rapidez se nos ocurren consejos para cambiar personalidades que, esperamos, evitarán que estas cosas sucedan de nuevo. Culpa y Corrección: ¡qué gran diversión!

«Si no hubieras dejado el teléfono descolgado otra vez, ¡no habría perdido esa llamada importante!»

«Es tu culpa que se haya salido el gato... ¡tienes que recordar cerrar bien la puerta!»

«¿Cómo esperas que encuentre el lugar si a ti se te olvida la dirección en casa?»

Culpabilizar es algo común, pero este comportamiento humano debería verse como un cáncer de la relación, pues la invade como un tumor, acabando con los tejidos sanos, devorándolo todo, hasta que le ha exprimido a la relación toda su vitalidad y todas sus satisfacciones. Es una enfermedad devastadora que asesina relaciones.

Aunque la culpa está presente en todas las relaciones, se le debe tomar como un tumor que se expande rápidamente y al cual no se le debe permitir desarrollarse. De otra manera, destruirá todas las cosas especiales de la relación. La culpa lastima los sentimientos de la pareja, daña el amor, disminuye la autoestima, aminora la cooperación y sirve como caldo de cultivo para la rabia, el resentimiento y el desprecio. El crecimiento cancerígeno de la culpa diezma muchos matrimonios: debes detener su crecimiento en la etapa más temprana posible.

Como la culpa es tan dañina, sería de mucho beneficio para todas nuestras relaciones, incluyendo la que tenemos con nosotros mismos, el tener una forma para minimizar su ocurrencia. Por suerte, hay una manera. Consiste en la combinación de: (a) una nueva manera de pensar sobre las cosas malas que nos ocurren en la vida y (b) una nueva manera de hablar sobre ellas con cualquier otra persona que esté involucrada.

La nueva manera de pensar en las cosas por las que generalmente culpamos a alguien consiste en separar al «culpable» de las consecuencias.

Primero, date cuenta de que el «culpable» (sin importar sus errores) no quería hacer daño e hizo lo mejor posible de acuerdo con sus circunstancias. Incluso, si en los casos mencionados, tu pareja olvidó colgar el teléfono, dejó la puerta abierta u olvidó las direcciones en casa, tenía buenas intenciones aunque los resultados hayan sido molestos. Es importante detenerse un momento para sentir un poco de empatía hacia las inocentes intenciones de la pareja, ¡recordando que *todos* siempre intentamos hacer lo mejor posible todo según las circunstancias! (¿Acaso no lo intentas tú?... ¿No será lo mismo con tu pareja?)

Después, ¡concéntrate en las consecuencias! En *ellas* consiste lo que sucedió, *ellas* son las que te molestaron. Perdiste una llamada importante, el gato se salió, o tendrás que sacar un mapa para llegar a buen destino. Lo importante no es hacer sentir miserable al culpable, sino resolver el problema y seguir adelante.

No importa si tu pareja «provocó» el problema, si éste es atribuible a fuerzas sobrenaturales, o qué lo «causó». Los factores de importancia son lidiar de manera efectiva tanto con tu molestia como con el problema... y mantener en el juego a tu pareja.

La nueva manera de hablar sobre las consecuencias (en lugar de culpar y corregir a tu pareja) consiste en mostrar cómo estas consecuencias te van a afectar de verdad, y cuáles son tus sentimientos sobre estos efectos. Esto se puede hacer a través de un «Mensaje–Yo» en el que tú, el que lo envía, hablas sobre las cosas que son ciertas para ti. Por ejemplo, éstos son algunos mensajes–yo potenciales para las situaciones descritas previamente:

> Cuando dejas el teléfono descolgado y pierdo una llamada que puede ser importante, ¡me siento realmente frustrado e irritado!

> Cuando dejas abierta la puerta y el gato se sale, me da mucha ansiedad pensar que algo puede pasarle, así que dejo mis actividades y salgo a buscarlo y eso es irritante.

> Como se te olvidó la dirección en casa y vamos a tener que pasar mucho tiempo de más yendo de un lado a otro, intentando encontrar el sitio al que vamos, me siento muy angustiado por llegar tarde.

Éstos son ejemplos de un «Lenguaje–Yo» libre de culpa. Esta manera de abrirte también te ayudará a manejar tus sentimientos de molestia, a comunicarle a la otra persona los efectos de su comportamiento sin restregárselos en la nariz, y a dejar el camino despejado para un manejo intachable del problema. El Lenguaje–Yo es claro y poderoso, pero no culpa, te permite comunicar tu mensaje sin hacer que tu pareja pase por el infierno (ver el Capítulo 10, «Cambiar Comportamientos, no a tu Pareja», para una discusión más completa sobre la manera de satisfacer tus necesidades mostrando tus sentimientos a través de una apertura personal).

La Vieja y Molesta Culpa

Todo el mundo experimenta el impulso de culpar. Muchas veces, nos parece muy real que la otra persona nos «provocó» el problema. Pero la realidad es que la verdadera causa de la molestia son las consecuencias. La relación es más importante que una victoria moral. Un buen y fuerte mensaje–Yo, libre de culpas, hará posible que tu pareja desee responder a tu predicamento de una manera mucho más cuidadosa y útil.

Por desgracia, la culpa es una forma extremadamente atractiva de lidiar con los sentimientos de desamparo que nos asaltan cuando algo sale mal. Tu pareja hizo algo cuyos efectos han resultado muy molestos para ti. ¿Qué puedes hacer al respecto? ¡Nada! ¡Ya sucedió! Y el desamparo es una emoción que la mayoría de los adultos tiene problemas de manejar.

A menudo, la manera en que la gente experimenta su desamparo o su molestia es enojándose y emitiendo gritos de culpa como: «¡Maldición! ¿Por qué hiciste eso?» Para muchos de nosotros no hay nada más atractivo en momentos de desamparo que culpar al presunto culpable más cercano: la persona que, pensamos, es responsable de que nos sintamos molestos. Muchas veces sucede que esta persona es nuestra pareja (¡a quien supuestamente amamos!).

Recuerda que, sin importar lo mucho que te pueda molestar el comportamiento de tu pareja, si tienen una relación buena en lo general, lo más probable (por decir lo menos) es que tu pareja no lo hizo deliberadamente para lastimarte. Mantener esto en mente puede ayudarte a guardar la compostura al buscar la manera de decirle a tu pareja que su comportamiento te molestó, sin agregar al fuego la gasolina de la culpa.

Todo el mundo odia ser culpado, es más, esto no ayuda a construir una buena personalidad, ¡sin importar lo que hayan pensado al respecto tus padres! Simplemente, la culpa hace que la otra persona se sienta mal y se ponga a la defensiva, puede dañar su autoestima y a menudo crea molestias temporales que barren con la cercanía. Si le permites reinar libremente, la culpa puede hacerle daño a cualquier relación, sin importar lo mucho que una vez se hayan amado.

La «Prima» de la Culpa: La Crítica en Público.

La «prima» de la culpa es la fea costumbre que tienen algunas personas de criticar pública y socialmente a su pareja. Esto resulta humillante y mina terriblemente la confianza conyugal.

«Perdón por el desorden en la cocina –dice Helen–, pero es que Don, como siempre, no ha arreglado todavía la máquina lavaplatos, por no mencionar la luz del porche o la ventana del auto. No puedo comprender por qué no parece capaz de preocuparse por estas cosas en menos tiempo de un año».

«Ya conoces a Bob... el tacaño. Nunca quiere gastar dinero en nada. No sé cómo espera que vivamos así».

«Bueno, hay que enfrentarlo, mi esposa es muy floja. Lo único que hace es pasársela sentada, hablando todo el día con sus amigas. Nunca levanta un dedo para arreglar la casa».

Por desgracia, demasiado a menudo se escuchan en reuniones sociales estas molestas críticas. Si al que las escucha esto le resulta doloroso, ¡cuánto más para el esposo o la esposa que ha sido denigrado! ¿Y cómo se supone que debemos reaccionar cuando un miembro de la pareja critica al otro? ¿Qué se supone que debe decir un amigo? Resulta molesto para todos y, ciertamente, no es el tipo de cosas que ayudan a tener buenas relaciones sociales.

Sin embargo, de vez en cuando todos tenemos problemas con nuestras parejas y a veces éstos surgen cuando estamos en compañía de nuestros amigos. ¿Acaso siempre debemos pretender ante ellos que no sucede nada malo? Hacerlo resultaría artificial y dañino para la honestidad que hace que una verdadera amistad sea un regalo precioso. Así que, ¿cuáles son las guías que podemos utilizar cuando nos sentimos molestos o molestas con nuestra pareja y estamos en compañía de amigos?

Regla número uno, no culpar o criticar: ¡y esto incluye el uso del sarcasmo! Éstas nunca son respuestas apropiadas, pero resultan especialmente incorrectas cuando se practican en público. Además de sus severos inconvenientes en privado, la culpa y la crítica en público provocan los dolores adicionales de la pena y la humillación. Si tienes algún problema con tu pareja, en relación con algo que él o ella hacen, lo que buscas es un cambio positivo, no una pareja profundamente lastimada, apenada y resentida.

La regla número dos consiste en disculparse profundamente si se olvida la regla número uno, y esperar recibir perdón. No es probable que éste llegue pronto.

Para compartir honestamente, pero de una manera segura, con nuestras amistades, puedes hablar sobre la forma en que te afecta el problema, y lo que te hace sentir, en lugar de culpar a tu pareja.

Por ejemplo, podrías decir que te causa pena el desorden de la cocina provocado, por la máquina lavaplatos descompuesta, y que te frustra que no haya sido arreglada todavía. Esto es una verdad sobre los hechos, relacionada con tus sentimientos sobre las *consecuencias*, no el *culpable*, y mantiene intacta la dignidad de tu pareja.

Un esposo también puede decir: «Mi esposa y yo tenemos valores distintos en relación con el aseo de la casa. Desearía que siempre se viera limpia y ordenada, pero Sally está mucho más interesada en mantenerse en contacto con sus amigas. A veces me cuesta trabajo aceptarlo. Me gustaría que fuera diferente». De nuevo, éstos son sentimientos sobre las *consecuencias*, y no sobre los *culpables*.

Para ser congruentes con las amistades cercanas en relación con las preocupaciones que se quieren compartir, la primera regla es preservar la dignidad de tu pareja (y la tuya propia) evitando la crítica. Una manera de hacerlo consiste en lidiar con las consecuencias y los sentimientos que tienes hacia ellas, en lugar de los que tienes hacia tu pareja.

Deshacerse de la Culpa

Al intentar eliminar la culpa podría resultar útil recordar alguna vez en la que te hayan culpado a ti por algo que hiciste. ¿Cómo te hizo sentir? ¿Qué impacto tuvo sobre tu autoestima esa culpa? ¿Te sentiste comprendido o comprendida por la otra persona? ¿Cómo afectó tu comportamiento posterior? ¿Cómo afectó la culpa a tu sensación de cercanía? ¿Cuánto tiempo te tomó sobreponerte a los sentimientos que te provocó el que te culparan? Es importante pensar fríamente sobre esto y darse cuenta de que es probable que tu pareja reaccione de manera similar ante tus mensajes recriminatorios. Ello puede ayudarte a comprender la cancerígena naturaleza de la culpa.

Incluso al comprender todo esto, no es fácil abandonar la culpa, y debido a la complejidad emocional del matrimonio, puede resultar muy difícil erradicar este dañino hábito con tu pareja. Sin embargo, es una meta de gran importancia.

El Poder de la Observación

Para acercarse a esta meta, el mejor proceso es uno que al principio puede parecer demasiado débil para resultar efectivo; pero que con el paso del tiempo adquiere una gran potencia: consiste en el simple proceso de estar «en observación» de tu comportamiento tendiente a endosar culpas.

Estar en observación significa sólo eso: observar silenciosamente, tomar nota, reconocer cuando se está culpando. *No te culpes* a ti mismo o a ti misma al darte cuenta de esto, y si lo haces, ¡observa que te acabas de culpar por haber culpado! Tan sólo, observa este comportamiento cuando suceda.

El proceso repetido de toma de conciencia ayuda a avanzar hacia la comprensión del comportamiento propio, lo que al final te dará la oportunidad de tomar decisiones sobre éste. El truco consiste en controlar tu instinto de asignar culpas: detener tus estallidos antes de que salgan de tu boca. Al mantenerte en observación, a lo largo de un periodo de tiempo, sin intentar forzarte a cambiar, obtendrás este control, el cual se transformará en una decisión: te observarás cuando estés a punto de comenzar a culpar y podrás escoger no hacerlo. Optarás por otra forma de comunicar tus sentimientos de enojo, molestia, desamparo, furia, etcétera. Ya no serás víctima de tu hábito de asignar culpas... ¡y tampoco lo será tu pareja!

El Poder de la Reflexión

Otra manera útil de controlar el impulso de culpar proviene del proceso derivado de la reflexión acerca de las emociones que más desencadenan tu tendencia a asignar culpas. Para la mayoría de la gente, estas emociones se relacionan con el enojo. Resulta útil reconocer que, en muchos casos, el enojo es una emoción secundaria que enmascara sentimientos distintos, más profundos, a los cuales nos incomoda reconocer. De alguna manera, a menudo parece más seguro irritarse o enojarse que lidiar con sentimientos subyacentes tales como desamparo, miedo, tristeza, o dolor. Éstos son cuatro de los sentimientos que los adultos encuentran más difíciles de manejar... o incluso reconocer. Sin embargo, reconocer y expresar estos sentimientos más fundamentales a menudo es la clave para evitar el enojo y la culpa, así como para lograr el apoyo o la cooperación de tu pareja.

En nuestra vida personal, durante muchos meses, Patty reñía con Ralph porque éste llegaba tarde a casa para cenar: «¿Por qué llegas tarde? Se supone que deberías estar en casa para las 6:45... ¿Por qué no llamaste si sabías que llegarías tarde?» ¿Todo esto se debía a que yo (Patty) estaba molesta por tener que comer sola o esperar a que Ralph se me uniera? En realidad no. Después de un poco de reflexión, comprendí que era una combinación de otras dos cosas: desear que yo fuera tan atractiva como para que ninguna emergencia le hiciera quedarse en el trabajo después de las 6:30 además de mi (irracional) miedo de que Ralph hubiera sufrido un accidente automovilístico en la autopista y algo terrible le hubiese pasado.

Si te pones en contacto con tus sentimientos de tristeza y miedo, como yo lo logré al final de esta situación, te darás cuenta de que lo que le puedes decir a tu pareja, cuando llega después de las 6:45, es algo muy distinto de lo que hubieras dicho antes. En lugar de reñir por su desconsideración y adicción al trabajo, tu nueva conciencia te podría hacer revelar, por ejemplo: «Me duele cuando no estás en casa a las 6:45. Me gustaría que tuvieras tantas ganas de verme que dejaras todo para apresurarte a llegar a casa» o «Cuando no has llegado a casa para las 7:00 y no llamas, temo mucho que te haya pasado algo terrible en la autopista. Me preocupé mucho por ti».

Éstos son mensajes de vulnerabilidad, y ésta es una invitación a la empatía y la cercanía. Expresar tu parte vulnerable, en lugar de tu yo enojado, culposo, que aleja, hace que para tu pareja sea mucho más fácil responder con cariño (Ralph estuvo de acuerdo en llamar siempre que supiera que iba a llegar tarde. Con voz dulce, siempre comenzaba esas llamadas diciendo: «No te preocupes, ¡no estoy muerto en la autopista!»).

Ser consciente de tus sentimientos de tristeza, dolor, miedo, desamparo, puede ayudarte a escapar de las tendencias a culpar, y te permitirá expresar sentimientos profundamente significativos. Casi siempre a tu pareja le será más fácil lidiar con estos sentimientos de una forma cariñosa que si hubieras continuado cantando la canción de la culpa, pues para la mayoría de nosotros es una tonada insoportable que escuchamos demasiado durante la infancia.

La culpa aumenta la distancia en las relaciones y no alienta al cariño, el cuidado o la solución de los problemas. Si deseas crear un Matrimonio de Clase Mundial es fundamental que dejes de cantar canciones de culpa.

La Especial Tentación de la Culpa

Permanece alerta ante un peligro de culpa especial que viene con este libro: la tentación de decir cosas como «¡Oye! Se suponía que íbamos a evitar la culpa... y me pareció que me estabas *culpando*!», o «¡Eso no suena para nada como *Lenguaje–Yo*!»

Puede que estos mensajes parezcan naturales y atractivos, en especial si ambos miembros de la pareja han leído el libro y están de acuerdo con sus ideas. Sin embargo, esto es utilizar el libro como una macana. Estos mensajes consisten en culpa disfrazada, aunada a una dosis de superioridad y, como cualquier otro mensaje de culpa, lastiman. En lugar de eso, amárrate los pantalones y convierte el deseo de culpar en un Lenguaje–Yo limpio y libre de culpas, diciendo algo como: «Cuando dices eso me siento herido y criticado», o lo que sea que vaya acorde con la situación.

Culpa No Verbal

También es importante darse cuenta de que la culpa puede comunicarse de una manera no verbal, incluso cuando las palabras que utilizas están libres de culpa. El tono de tu voz y tu expresión facial pueden transformar un «Está bien... olvidémoslo», de un sencillo perdón a un molesto reclamo. «¡Está bien!» puede querer decir muchas otras cosas, dependiendo del contexto, el tono de la voz y el lenguaje corporal. Ya que se cree que 93% de la comunicación ocurre no verbalmente, es importante darse cuenta del enorme impacto de aquello que normalmente se nombra como lenguaje corporal. Por tanto, a medida que trabajes en eliminar la culpa de tu Lenguaje–Yo, es importante que te hagas conciente del mensaje que envías con tu tono de voz y tu lenguaje corporal, además de con tus palabras.

Hacer el esfuerzo de eliminar la culpa de tu relación marital vale la pena enormemente, ¡y lo mismo se aplica a la relación que tenemos con nosotros mismos! La culpa es un cáncer que debe erradicarse en toda relación que se valore, y es importante desarrollar una relación libre de culpas con nosotros mismos. Recuerda: la culpa no favorece el crecimiento. Los dos ingredientes más poderosos para que la gente crezca y solucione sus problemas son la empatía y la aceptación. Es importante recordar esto cuando hablamos con nosotros mismos sobre nuestro comportamiento. Al igual que cualquier otra persona, que se debilita con la culpa y crece con la empatía y la aceptación, como seres humanos es muy valioso crear un clima de seguridad dentro del cual podamos nutrir nuestro propio crecimiento.

Haz conciencia de las diversas manifestaciones de la culpa y trabaja para reducir su presencia tanto en tu relación de pareja, como en la que llevas con tu propia persona. Es posible que no haya ninguna otra forma más poderosa para beneficiar tu relación de pareja que erradicar juntos este cáncer de sus vidas.

> *Toma la vida en tus propias manos y ¿qué ocurre?*
> *Algo terrible: nadie a quien culpar.*
>
> Erica Jong

PILAR 3

Asumir la Responsabilidad Propia

Todos estamos familiarizados con el concepto de responsabilizarse del comportamiento propio. Éste es un precepto importante para ser un humano maduro.

El concepto correspondiente en una relación es la importancia de responsabilizarte por satisfacer tus necesidades como ser humano. De ti depende que esto se cumpla. Tú eres el responsable de ti mismo; de identificar cuáles son las necesidades, deseos y aspiraciones en tu vida; de seguir tus sueños y hacer que se cumplan.

Aunque una pareja enamorada probablemente quiera ayudarte a satisfacer tus necesidades, no es su responsabilidad ocuparse de que esto ocurra. Tu pareja lo hará cada vez que quiera y pueda, y siempre será un asunto de naturaleza voluntaria. Esperar que tu pareja se responsabilice de satisfacer tus necesidades es depositar una carga demasiado pesada en otra persona, sin importar cuánto te ame. Sencillamente, no es responsabilidad de la pareja asegurar que tus necesidades se cumplan en la vida; ése es un trabajo personal. Aunque una pareja enamorada probablemente quiera darte una mano, hacerlo no es su obligación.

Responsabilizarse de uno mismo puede abarcar lo práctico o lo profundo. En nuestra relación, yo (Patty) estaba frustrada con la manera en que Ralph nos registraba en un hotel. Después de hablar con el recepcionista, Ralph me anunciaba felizmente que teníamos una habitación, pero cuando preguntaba qué tipo de habitación («¿Cuánto cuesta?», «¿De qué tamaño es la cama?», «¿Con vista?»), él generalmente no tenía respuesta. Esto me confundía y molestaba, y me resultaba difícil no culparlo por ello («¿No preguntaste cuánto costaba?»).

Después de varias noches de vacaciones, Ralph y yo hablamos, para darnos cuenta de que él no se preocupaba particularmente por el costo, tamaño de la cama o la vista, y que ésas eran necesidades exclusivamente mías. Me di cuenta de que si deseaba tener la respuesta, necesitaba responsabilizarme de asegurar que esas preguntas se formularan antes de registrarnos. Decidimos que yo me encargaría de registrarnos en los hoteles, y así ha sido desde entonces. De esta manera, puedo satisfacer mis necesidades de información antes de aceptar un cuarto, y Ralph se siente feliz de no tener que manejar el proceso. La solución funciona para ambos ahora que estoy consciente de mis necesidades y dispuesta a responsabilizarme de satisfacerlas.

Éste no es un ejemplo profundo y puede que a la gente no le parezca que pertenece al concepto de «responsabilizarte por tu vida». Sin embargo, su naturaleza terrenal ilustra la importancia que esto tiene en las situaciones cotidianas.

> Sandra se dio cuenta de que no podía contar con la fuerza de trabajo de Roberto para asegurar su futuro económico, después de años de ver cómo las complicaciones por diabetes minaban gradualmente la salud de él. Ella regresó a la escuela, obtuvo un certificado de maestra y comenzó a impartir clases en una secundaria local. Ahora disfruta de este ingreso adicional con los suyos y sabe que esto significa que

la familia estará económicamente asegurada en caso de que los problemas de salud de Roberto lo obliguen a un retiro temprano.

Después de muchos años de desear cosas que no podían pagar y de sentir frustración por el bajo ingreso de su marido, Dawn ha relevado a Manny en el manejo de sus inversiones. Comenzando con una pequeña cantidad, ella aprendió cómo invertir en la bolsa y sigue cuidadosamente sus inversiones todos los días. En vez de sentirse frustrada porque el salario de Manny no alcanza para obtener los extras que ella desea y, en lugar de quejarse o criticar, ella se ha responsabilizado por desarrollar su capacidad para maximizar el dinero de ambos mediante inversiones rentables. Para ella el proceso es fascinante, ha ampliado sus conocimientos sobre diversos temas relacionados y le ha dado una poderosa sensación de tener el control de su propio destino. Ella comparte regularmente las ganancias de sus inversiones con Manny, lo que se ha convertido en un nuevo y emocionante desarrollo en su relación.

Estos ejemplos ilustran un proceso en el que uno de los miembros de la pareja «despertó» para darse cuenta de una necesidad insatisfecha y tomó la decisión de responsabilizarse. Al suceder esto, hicieron un saludable cambio de responsabilidad desde su pareja hacia ellos mismos para obtener lo que deseaban. A veces, esto es lo único que se necesita para generar una transformación en tu vida y en tu relación.

Reconocer las Necesidades Insatisfechas

Oírse a sí misma decir «¿Ni siquiera averiguaste el precio de la habitación?» fue un aviso para despertar y para que Patty identificara y se hiciera cargo de una necesidad insatisfecha. Los sentimientos generalizados de resentimiento, un tono de irritación o frustración, pueden ser indicadores de que no estás satisfaciendo tus necesidades. Si percibes resentimiento, crítica o frustración en tus palabras al hablar de alguna situación, tus sueños o metas, es señal de que tienes alguna necesidad insatisfecha de la que debes ocuparte. Esta es una oportunidad para establecer una comunicación significativa que puede abrir la puerta a una nueva Meta Acordada, o a una nueva decisión o solución, fortaleciendo y dotando de mayor sentido a tu relación. Paradójicamente, al compartir este descubrimiento con tu pareja, reconocer que es tu responsabilidad y no suya, puedes fomentar más interés en ayudarte a alcanzar tu meta, ya sea de seguridad económica, información, belleza, descanso, estimulación, aprendizaje, protección o lo que sea, sólo por el simple hecho de que has asumido completamente la responsabilidad de lograrlo.

Uno de los grandes retos de la vida es identificar quién eres y quién deseas ser, cómo deseas pasar tu tiempo en este planeta, cómo deseas interactuar con el mundo, qué campos de acción son importantes para ti. Esto representa la esencia de la misión en la vida de cada ser humano: ser la persona que desea ser.

El que reconozcas la prioridad de responsabilizarte de tu propia vida te dará poder como individuo y resaltará tu sentido de competencia y sensación de logro. Y, lo más maravilloso, el ser capaz de adueñarte de la responsabilidad de tus necesidades borrará la carga de expectativas inapropiadas respecto a tu pareja, te liberará para satisfacer tus propias necesidades y, en general, les permitirá a ambos el placer de contribuir voluntariamente y de buena voluntad en la vida del otro.

Considero que hay tanta naturaleza humana en algunas personas como en otras, si no es que más.

Edward Noyes Westcott

PILAR 4

Comprender la Naturaleza del Comportamiento

La conducta es «la manera en que actúan los organismos, especialmente en respuesta a un estímulo» (Webster). La conducta humana es lo que la gente dice y hace (lo que puedes ver, oír, tocar, probar, oler con tus cinco sentidos). Éstas son dos importantes claves sobre la conducta humana:

Clave 1: Puedes influir en la conducta actual de tu pareja con mayor facilidad de lo que puedes influir en lo que tú interpretas como sus rasgos de carácter, actitudes, características o motivos, los cuales son internos, privados y no directamente alcanzables. El gran significado de esto es darse cuenta de que los intentos por cambiar el carácter o la actitud de tu pareja probablemente estén condenados a fracasar, además de ser irritantes. Aun así, intentar cambiar dichos comportamientos ¡puede resultar exitoso! Por ejemplo, si quieres rosas rojas para tu cumpleaños, resulta mucho más fácil pedirlas que intentar hacer de tu pareja «una persona más detallista y considerada» que piense en lo que tú quieres por sí misma.

La lección fundamental es la siguiente: las cosas funcionan mucho mejor en una relación cuando dejas de hacer

46

conjeturas acerca de lo que ocurre en el interior de tu pareja, así como disminuyes tu deseo por cambiarlo(a) y, en lugar de ello, te manejas a partir de lo que puedes ver, oír o sentir físicamente. ¡Las conductas son la clave!

Clave 2: Las conductas de tu pareja, sean bienvenidas o no, son intentos por satisfacer alguna necesidad suya, y no evidencias de un carácter ético superior o inferior, o de un deseo de molestarte. A menos que te hayas unido a un sociópata, lo que es poco probable, no es que tu pareja «sea mala» cuando su comportamiento te desagrada; sencillamente, ha escogido una manera de satisfacer una necesidad que te resulta inaceptable o que interfiere con una tuya. Si tu pareja se atraviesa en el lavabo para tomar el vaso mientras tú te cepillas los dientes, no es que esté intentando irritarte; sólo quiere tomar agua. Tu pareja no está actuando «desconsideradamente»; simplemente intenta satisfacer sus necesidades.

Toda conducta está dirigida hacia una meta, siempre con la intención de satisfacer alguna necesidad. Recordar esta clave puede resultar muy útil cuando el comportamiento de tu pareja te parezca inaceptable. Te permitirá confrontar la conducta sin culpar, así como escuchar más empáticamente, lo que incrementará considerablemente las probabilidades de generar un cambio de conducta útil y voluntario o una solución aceptable para ambos en lo futuro (por ejemplo, podrías traer al lavabo un segundo vaso de la cocina).

> Lucy se queja de que su pareja no la llama regularmente desde el trabajo. ¿Intenta su pareja lastimar deliberadamente a Lucy al no hacerlo? Lo más probable es que no. La mayoría de la gente en una relación estrecha y considerada no busca lastimarse entre sí. Así que, el que no la llame es tal vez más un reflejo de su interés y preocupación por lo que ocurre en el trabajo o de su deseo por conservar la privacidad de su vida doméstica ante sus colegas.

Sólo podremos especular acerca de lo que motiva el comportamiento de nuestra pareja hasta que abramos un diálogo en un clima de suficiente seguridad que permita a la parte confrontada comunicar auténticamente sus necesidades.

Danielle llega a casa con una noticia que está ansiosa de compartir con Bart. Entra en la habitación donde él está, diciéndole con excitación la gran noticia, pero él le hace bruscos aspavientos, dándole claramente el mensaje de que deje de hablar de inmediato. Ella se siente momentáneamente herida. Tenía grandes noticias que quería compartir y él no quiso escucharla.

¿Intentaba herirla? Definitivamente no. Él estaba en el teléfono, inmerso en una conversación importante, y no deseaba ser interrumpido. Su comportamiento al hacerle aspavientos para que dejara de hablar era un intento por evitar que ella interfiriera en su habilidad para oír a su interlocutor en el teléfono. Ésta era una necesidad legítima que de ninguna manera tenía la intención de lastimarla de manera deliberada.

Ella también tenía una necesidad legítima (compartir las excitantes noticias con él) y su intento por satisfacerla no contenía la intención de interferir con las necesidades de él. Cuando ella reconoció que su comportamiento le causó a él un problema, dejó de sentirse herida por su señal de «no hables» y pudo esperar a contarle la gran noticia más tarde. Cuando Bart terminó la llamada, enmendaron fácilmente el pequeño bache: él le dijo «Siento haberte callado, pero estaba en una llamada de verdad importante», a lo que ella respondió: «No te preocupes. No me había dado cuenta de que estabas hablando por teléfono». Entonces le contó la gran noticia.

No podemos dejar de recalcar que las parejas enamoradas no hacen cosas de forma deliberada para lastimar al otro. Cuando sientes que el comportamiento de tu pareja te lastima, es fácil pensar que tu pareja está actuando de manera desconsiderada y confrontarla culpándola. Pero esto no funciona. Culpar provoca una actitud defensiva. No alienta ni la consideración ni la cooperación.

Hablar de la totalidad de tu experiencia con tu pareja puede ayudar a que te des cuenta de que la irritación no fue provocada intencionalmente. Una vez que te asientes sobre esa realidad, será más probable que identifiques cuál es la necesidad que tu pareja ha estado intentando satisfacer. Tu irritación disminuirá y tu compasión aumentará. Estarás en una mejor posición para confrontar con consideración y escuchar plenamente. Esto incrementará la probabilidad de llegar a una nueva etapa de comprensión o a la solución que prevendrá problemas futuros. Recordar que todo comportamiento es un intento por satisfacer alguna necesidad te ayudará a descifrar una parte de tu pareja y te capacitará para confrontar las conductas indeseables con compasión. No es que tu pareja sea difícil o te quiera herir; simplemente, tu pareja sólo intenta satisfacer sus necesidades.

Un Matrimonio de Clase Mundial se crea a través del proceso de comunicarse mutuamente con la sensibilidad y claridad suficientes para que puedan reconocer y comprender las necesidades de cada uno, así como encontrar soluciones que funcionen para ambos.

Mi esposa dice que nunca la escucho. Al menos creo que eso fue lo que dijo.

Anónimo

PILAR 5

Utilizar la Forma Poderosa de Escuchar

Si quieres tener un Matrimonio de Clase Mundial, resulta esencial que escuches a tu pareja. Escuchar abre las puertas de la comprensión. Escuchar ayuda a construir la confianza. Escuchar facilita la solución de problemas. Escuchar es la madre de la cercanía. Escuchar da combustible para el crecimiento de la relación. El teólogo Paul Tillich resume su importancia al decir: «La primera tarea del amor consiste en escuchar».

Escuchar es la cosa más poderosa que puedes hacer para animar a tu pareja a hablar contigo. Si hablas todo el tiempo y casi nunca escuchas, no deberá sorprenderte que tu pareja no diga demasiado. Este fenómeno se puede observar con claridad en algunos padres de familia que mantienen un flujo constante de órdenes, correcciones, consejos y críticas hacia sus hijos, y luego se quejan con sus amistades de que sus chicos nunca quieren hablar con ellos, aunque se comuniquen sin problemas con sus iguales. La sencilla respuesta a este enredo es que sus iguales los escuchan y no les dan tantos consejos no requeridos. Si quieres que tu pareja comparta sus intimidades contigo, escucha con atención. Si quieres una relación cercana, mantén tus oídos abiertos.

> Hank nos dijo que no sentía que fuera correcto llevar a casa sus problemas laborales a su esposa Brianna, porque eran irrelevantes para la vida de ella y no quería abrumarla. En una sesión privada, mientras practicaban sus habilidades para escuchar, Hank habló de un complejo problema que tenía en su calidad de agente de bolsa lidiando con un cliente. Para sorpresa de Hank, después del ejercicio, Brianna dijo que estaba extremadamente interesada en escuchar sobre su problema y que previamente se había sentido marginada de aquella importante parte de su vida. Un reluciente Hank dijo: «¡Me encantó contárselo!»

¿Había resuelto Brianna el problema laboral de Hank? No. Pero la atención con la que lo escuchó le ofreció a Hank la oportunidad de que compartiera sus pensamientos y emociones, quizá aprendiendo más sobre ellos, u obteniendo algún alivio emocional. Pero esto, sobre todo, los unió como pareja.

Después de que logres estar a gusto simplemente escuchando mientras tu pareja habla, podrás pasar a escuchar lo que dice en un nivel más profundo, haciendo que tu meta no sólo sea comprender las palabras de tu pareja, sino también *el significado emocional de lo que está diciendo*. En un mundo tan altamente intelectualizado, resulta triste ver cómo este importante aspecto de la comunicación es descuidado, y las víctimas de esta negligencia son la empatía y la cercanía.

La empatía puede definirse como ver el mundo a través de los ojos de tu pareja, dejar de lado por un momento tus propios pensamientos y sentimientos, juicios y soluciones, y utilizar las palabras de tu pareja, su tono de voz y lenguaje corporal como el sendero para experimentar lo más cercanamente posible lo que él, o ella, experimenta. La empatía consiste en comprender quién es tu pareja sin necesidad de cambiarla.

Desarrollar la empatía requiere de práctica y es uno de los regalos más valiosos que le puedes otorgar a tu pareja.

Con la empatía sabrás que decir «¡Ganamos el juego!» no sólo significa que nuestro equipo venció a los oponentes, ¡sino también que a tu pareja le emociona este hecho! El mensaje no consiste nada más en que el equipo de tu pareja haya ganado el juego, sino en el glorioso sentimiento que eso provoca. Probar la maravilla que esta victoria le hace sentir a tu pareja es una forma importante para experimentar juntos la cercanía.

Escuchar el significado emocional de las palabras de tu pareja además de sus pensamientos, te ayudará a comprenderle en verdad y a darle la satisfacción de sentirse comprendida en verdad. La comprensión con empatía enriquecerá en gran medida la relación, su intimidad, su sentimiento de «estar en esto juntos», su sentimiento de satisfacción e incluso su capacidad para resolver conflictos.

La Profunda Importancia de la Empatia

La empatia es el ingrediente más poderoso para ayudar a crecer a otra persona y para manejar sus problemas. Hace ya más de cuarenta años Berenson y Carkhuff, junto con otros investigadores de las relaciones paciente–terapeuta, documentaron bien esto, al encontrar que los terapeutas efectivos le ofrecen a sus pacientes una fuerte empatía, debido a que se dan cuenta del valor que tiene para ayudar a sus pacientes a lidiar con situaciones difíciles de sus vidas. De hecho, estos estudios mostraron que la mayor aportación individual que puede hacer un terapeuta para ayudar a que su paciente crezca es mostrarle que se le comprende profundamente, sin establecer juicios.

¿Por qué habríamos de aspirar a menos en nuestro matrimonio? Los terapeutas comunican comprensión y empatía al retroalimentar al paciente con la comprensión de sus pensamientos y sentimientos. Por esta razón, la habilidad para escuchar ha sido llamada «Forma Reflexiva de Escuchar». También se le conoce como Forma de Escuchar con Empatía y como Forma Poderosa de Escuchar, y es la manera más poderosa de ayudar a otra persona a lidiar con sus problemas.

Sin embargo, una sutil percepción errónea de esta manera de escuchar consiste en que el mero hecho de retroalimentar a tu pareja con la esencia de su mensaje a menudo no parece estar haciendo demasiado para ayudar. ¡No se siente como un apoyo poderoso! Pero los datos son absolutamente claros: la empatía es la mejor forma de ayudar a alguien a lidiar con un problema. Por esta razón, le hemos llamado a esta habilidad «Forma Poderosa de Escuchar», para hacer énfasis en el hecho de que es una potente manera de lograr un verdadero impacto.

La tendencia natural que todos tenemos cuando alguien importante para nosotros se siente mal, es saltar al ruedo y hacer algo para aliviar el problema (ofrecer soluciones, hacer preguntas, dar consejos y comentarios constructivos), cualquier cosa que pensemos beneficiará a nuestra pareja y le ayudará a salir de su dilema.

¿Pero qué pasa cuando intentas ofrecer consejos y otras formas de «ayuda»? Por lo general, estos esfuerzos se topan con la resistencia... en ocasiones con enormes resistencias. En mi caso (Ralph), siempre que se me olvida escuchar y comienzo a ofrecer consejos sabihondos, Patty me dice: «No intentes ayudarme, ¡sólo quiero que me escuches!» Como dice nuestro colega Speed Burch en relación con esto: «¡La ayuda ataca de nuevo!»

A pesar del hecho de que la Forma Poderosa de Escuchar ha demostrado ser la forma individual más poderosa para ayudar a alguien a lidiar con un problema, no siempre es fácil para el escucha resistir el deseo de hacer algo más que «sólo escuchar». Requiere disciplina resistir el impulso de salir con algunas de las formas más convencionales de «ayuda», como dar consejo, hacer preguntas, ofrecer soluciones, brindar confianza, y todas esas otras estrategias comunes que nos parecen «naturales», pero que son, sin embargo, menos efectivas.

El problema estriba en que cuando nuestra pareja tiene alguna dificultad, nos causa también, de manera muy sutil, un problema a nosotros. Por muchas razones, preferimos que nuestra pareja esté libre de problemas. Así que cuando se encuentra en dificultades, nos invade un sentimiento de desamparo y pensamos: «Quizá no solucione su problema lo suficientemente bien como para volver al camino». Para liberarnos de aquel terrible sentimiento de impotencia, nos urge hacer algo al respecto, nos urge ofrecer consejos, soluciones, casi cualquier tipo de ayuda a excepción de la que verdaderamente funciona: escuchar con aceptación, con empatía. Es por esto que a menudo «la ayuda ataca de nuevo».

Una buena táctica de prevención consiste en reconocer ante tu pareja lo impotente que te sientes al escuchar su problema («¡apenas puedo estar aquí sin hacer nada y no querer saltar a arreglar el problema por ti!»). Al decir algo como eso, al expresar tus sentimientos, es probable que experimentes una reducción en tu sensación de impotencia, lo que hará que te sea más fácil ofrecerle a tu pareja alguna ayuda verdadera: a través de la Forma Poderosa de Escuchar sus pensamientos y sentimientos.

La Naturaleza de los Sentimientos

Las emociones no son racionales, vienen sin que las invitemos y no siguen las reglas de la lógica, simplemente están ahí, son nuestra respuesta orgánica, visceral, ante lo que ocurre en nuestro medio ambiente, interno y externo. Nuestros pensamientos no controlan a los sentimientos; éstos expresan nuestros deseos, nuestras necesidades, nuestros miedos, nuestras tristezas y nuestras alegrías: fuertes motivadores todos de nuestros comportamientos, los cuales se orientan hacia el logro de metas. Con frecuencia, las razones que utilizamos para justificar nuestros actos no son sino racionalizaciones para permitirnos hacer lo que las emociones dictan. Así que cuando se despiertan los sentimientos, no tiene caso intentar ser lógicos o racionales hasta que éstos hayan sido experimentados y aceptados, para así poder seguir adelante.

Los sentimientos se transforman, ya que estos son, por naturaleza, transitorios, vienen y van. Sin importar lo dolorosos, alegres o terrenales que sean, ninguno dura para siempre. Su naturaleza consiste en el cambio, de modo que nuevos sentimientos suplantan a los anteriores.

La excepción son los sentimientos que no nos permitimos experimentar: aquellos que bloqueamos o suprimimos porque nos asustan demasiado, o nos parecen demasiado abrumadores o inaceptables como para que los reconozcamos o compartamos. Nos decimos a nosotros mismos: «Supongo que esto me molesta, pero no quiero pensarlo demasiado», o «Simplemente no quiero lidiar con ello», o «Me avergüenza demasiado como para decirle a otra persona cómo me siento en verdad».

Cuando esto sucede, los sentimientos mantienen su fuerza sobre nosotros, haciéndonos infelices, deprimiéndonos o enojándonos, a veces durante largos periodos de tiempo y esto puede interferir con nuestra habilidad para manejar de una manera racional los problemas que los provocaron.

Al utilizar la Forma Poderosa de Escuchar, puedes evitar que esto le suceda a tu pareja. Si eres capaz de ofrecer un oído seguro y empático (sin preguntas ni consejos) siempre que él o ella se encuentre en problemas o sufra molestias, el que escuches le ayudará a explorar el problema y a expresar y aceptar sus sentimientos más oscuros, de manera que al enfrentarlos y experimentarlos pueda liberarse de su atadura. ¡Así podrá seguir adelante!

Asimismo, la mejor actitud en relación con tus propios sentimientos consiste en estar abierto a experimentarlos, sin importar cuáles sean. Estar en contacto con nuestros sentimientos resulta enormemente benéfico, nos permite disfrutar los gozos de nuestra vida y aliviar nuestro dolor. La presencia de una pareja amorosa que nos escuche cuando sentimos dolor es la mejor manera de hacer posible esta postura abierta.

Haz todo lo que te sea posible internamente para mantener una actitud abierta ante tus sentimientos, sabiendo que los sentimientos deben ser bienvenidos en tu vida consciente, sin importar si te parecen coherentes o no. Cuando abres la puerta a tus propios sentimientos, escuchándolos en tu interior, aceptando la existencia de todo tipo de sentimientos sin juzgarlos como buenos o malos, te abrirás la puerta hacia una vida más plena. A medida que admitas dentro de tu conciencia una mayor gama de emociones, te resultará más fácil escuchar los sentimientos de tu pareja, ofreciéndole también la oportunidad de convertirse en un ser humano más completo. Por esta profundidad de análisis se enriquecerá su relación, les permitirá alcanzar el mayor grado de intimidad.

Habilidades Para Escuchar

Existen varios tipos de habilidades para escuchar, que van desde comportamientos simples hasta otros más complejos. La habilidad para escuchar más básica consiste simplemente en invitar a tu pareja a hablar y, entonces, ¡escuchar! Cuando te des cuenta de que tu pareja tiene tristeza, preocupación, enojo, o de que está alegre (es decir, cuando parece que le sucede algo en lo emocional), abre la puerta para que tu pareja hable al respecto. Esto se puede hacer de una manera muy sencilla y natural: «¿Qué es lo que sucedió?», o «¿Hay algo de lo que te gustaría hablar?», o «¿Cómo te fue hoy?», o «Te ves alegre, ¿quieres contarme?» Invitar a tu pareja a hablar ayuda a que comience este proceso.

Una vez hecho esto, cierra la boca y dale oportunidad a tu pareja de utilizar su espacio, lo cual funciona sorprendentemente bien. A pesar de lo sencillo que es darle esto a tu pareja, ¡muchos adultos participantes en nuestros talleres han reportado que nunca antes en sus vidas les habían dado tanta libertad para hablar! La mayor parte de la gente tiene tantos deseos de expresar lo que va a decir en seguida, que nunca le da a su pareja un espacio para hablar sin interrupciones, y esto puede ser un regalo significativo. El silencio y la atención conllevan respeto, y el silencio crea la oportunidad para que tu pareja comparta contigo sus pensamientos y emociones. Si quieres que tu pareja se abra contigo, esto resulta esencial.

Además de simplemente no interrumpir, es necesario que «estés» con tu pareja. Centra toda tu atención en él o ella y haz tu mayor esfuerzo para evitar distracciones tales como pensar en el mejor consejo que se te ocurra. Si intentas prestar atención verás que hacerlo es sencillo y resulta muy poderoso.

Tu lenguaje corporal es un componente importante al prestar atención. No sólo le muestra tu atención al hablante, sino que también aumenta tu habilidad para concentrarte. Un buen lenguaje corporal incluye el sentarte viendo de frente a tu pareja, mantener tus ojos al nivel de los suyos, hacer un buen contacto visual, inclinarse un poco hacia la otra persona, evitar una postura cerrada con los brazos y las piernas cruzadas, y mantener una expresión facial receptiva (¡intentando evitar parecer un terapeuta!).

Otra forma sencilla para animar a tu pareja a compartir contigo, consiste en manifestar que estás escuchando lo que te dice tu pareja, a través de lo que conocemos como «carraspeos de empatía» o «reconocimientos no comprometedores», y consiste en meras palabras o articulaciones verbales que comunican que estás escuchando y que te identificas con lo que se dice, que te has involucrado en la conversación sin intentar interferir con ella, y que sigues con interés de escuchar. Esto ayuda a que tu pareja continúe hablando. Algunos ejemplos son: «aja», «¡oh!», «¿en verdad?», «comprendo», «¡Dios mío!», ¡ah!» y el clásico «mmmh». Estas interjecciones, complementadas con movimientos de la cabeza que representen empatía, son formas simples y naturales para animar el flujo comunicativo con tu pareja.

Esta forma silenciosa de escuchar (Forma poderosa de Escuchar Ligera) le ayuda a tu pareja a hablar sobre cualquier cosa que cruce por su cabeza, a salvo de tus juicios, consejos y preguntas. Le comunica tu interés y cuidado, y además de que facilita la comunicación, es una habilidad benéfica que ayuda a que crezca la relación, y puede emplearse con éxito ¡AHORA! Lo único que requiere es que estés dispuesto a hacerlo.

Escuchar Más Profundo

La Forma Poderosa de Escuchar es el término que utilizamos para referirnos a algo que otros autores han denominado como Forma Reflexiva de Escuchar, Forma Empática de Escuchar y Escuchar Activamente. Esta habilidad para escuchar, sobre la que han escrito tanto Cari Rogers, Thomas

Gordon y otros, es tan poderosa y benéfica para las relaciones que en verdad te aconsejamos que la aprendas de un instructor entrenado en habilidades comunicativas y que, después de aprender sus puntos básicos, practiques la Forma Poderosa de Escuchar con una intensidad suficiente para que puedas utilizarla en cualquier momento en tu relación marital (ver al final del libro para información sobre cursos en México).

La Forma Poderosa de Escuchar es un privilegio real, es la mejor habilidad para comunicar comprensión y empatía, y la que más le permite a tu pareja expresar sus pensamientos y emociones, liberar las emociones que le atan, y encontrar una solución para sus problemas. La Forma Poderosa de Escuchar es una habilidad que los terapeutas profesionales utilizan en su práctica debido a que las investigaciones han demostrado que es la forma más poderosa para ayudar a alguien a lidiar con sus problemas personales. La Forma Poderosa de Escuchar consiste en comprender el significado del mensaje de tu pareja con la suficiente claridad para poder retroalimentarle con un resumen preciso.

Para lograr esto cuando tu pareja platica algún problema, presta especial atención a lo que siente, además de a sus pensamientos. Los sentimientos pueden expresarse de manera verbal y no verbal. Cuando hayas comprendido el mensaje de tu pareja (emociones y pensamientos) ponlo en tus propias palabras y ofrece retroalimentación. Por ejemplo, después de escuchar a tu pareja quejarse sobre la irracional reprimenda de su supervisor, podrías retroalimentarle diciendo: «¡Te molesta mucho cuando actúa así!» Después de la descripción de una espera interminable en el consultorio del médico, podrías decir: «¡Qué frustrante pasar tanto tiempo esperando!» Después de escuchar a tu pareja quejarse de su ropa, podrías decir: «¡Cómo odias cuando no tienes nada que ponerte que te haga ver bien!» Después de escuchar a tu pareja describir como se le pasó por alto a la hora de recibir un aumento, puedes decir: «Es muy doloroso y frustrante no sentir que tus contribuciones se reconocen y aprecian».

Existen muchas maneras distintas de ofrecer retroalimentación en los casos mencionados. No existe la retroalimentación perfecta, sino sólo aproximaciones a partir de las pistas recibidas. La clave consiste en preguntarse: «¿Cuál es la esencia de lo que me dice mi pareja?»

Aprende a Reconocer la Esencia

Para escuchar con empatía necesitas concentrarte en captar la esencia del mensaje de tu pareja y retroalimentarla con él o ella. Es por eso que a veces a esta habilidad se le llama Forma Reflexiva de Escuchar, pues el propósito es reflejar la esencia de lo que escuchaste en su mensaje.

No es difícil captar el significado de lo que tu pareja está diciendo. La mayoría de la gente comprende la esencia de los mensajes que escucha. La diferencia aquí consiste en retroalimentar a tu pareja de manera tal que sepa que le has escuchado y comprendido, para que pueda escuchar nuevamente lo que dijo. Esto le dará una mayor comprensión de sus propios pensamientos y, a menudo, le liberará de sus sentimientos problemáticos: lo que le facilitará explorar su problema y encontrar sus propias soluciones. Aun más, ¡le dará la profunda satisfacción de saber que la persona que más le importa en verdad sabe cómo se siente!

¡No subestimes lo mucho que esto significa para tu pareja! Por alguna razón, la mayor parte de los seres humanos desean *de verdad* que su pareja comprenda sus sentimientos en relación con los asuntos importantes de sus vidas.

Si tienes problemas para captar la esencia del mensaje de tu pareja, pregúntate lo siguiente:

¿Qué está sintiendo mi pareja?

¿Qué está pensando mi pareja?

¿Cómo será ser mi pareja en esta situación?

¿Cuál es el mensaje que quiere que escuche?

¿Qué sentiría yo si me hablaran de esta manera?

Recuerda, no existe la retroalimentación perfecta, sólo acercamientos fundamentados en las pistas que se reciben. Ponte en los zapatos de tu pareja y observa la situación a través de sus ojos. No importa si para ti tiene sentido, si tú te sentirías así, ni la forma en que tú manejarías la situación. Sólo comprende cómo es para tu pareja y reflexiona sobre eso en tus retroalimentaciones, las cuales deben ofrecerse en los momentos en los que tu pareja haga pausas en su flujo comunicativo.

Si tu retroalimentación sobre el mensaje es precisa, tu pareja lo reconocerá y, si se trata de un asunto complejo, seguirá hablando acerca del tema analizando otro aspecto referente a él. Una vez más, después de escuchar durante un rato, resume la esencia del siguiente grupo de pensamientos y emociones y ofrece retroalimentación. A esto seguirán un breve «sí» y una mayor exploración del tema, hasta que éste se agote. Esto sucederá de una forma natural y sabrás que estás llegando al final del episodio comunicativo cuando a tu pareja se le acabe el «vapor» emocional, parezca estar en mayor calma y diga que se siente mejor, o cuando simplemente cambie de tema.

A menudo tu pareja te agradecerá por escuchar y a veces tú sentirás que no has hecho demasiado con «tan sólo oírle». Sin embargo, a pesar de que pueda parecer que es una ofrenda insignificante para alguien que lidia con un problema grave, ¡recuerda que se ha comprobado científicamente que esta manera de escuchar es la cosa más poderosa que puedes hacer para ayudar a alguien cuando experimenta un problema!

Cabe agregar que la Forma Poderosa de Escuchar también resulta apropiada y ayuda al desarrollo de la relación cuando tu pareja experimenta una sensación de felicidad o éxito. Una de las dichas más maravillosas de un Matrimonio de Clase Mundial es compartir con tu pareja la delicia de una victoria bien trabajada, y saber que tu pareja en verdad comprende la profundidad del sentimiento que esto te provoca. ¡Imagina que hubieras terminado en primer lugar al final de un maratón y tu pareja no entendiera por completo el enorme sentimiento de logro que has experimentado! Pero si él o ella en verdad escucha tu exaltada alegría y te retroalimenta con su propio gusto, los placeres de compartir verdaderamente este sentimiento de triunfo y felicidad con tu pareja le agregarán significado a tu triunfo y cercanía a tu relación.

Por qué es Importante Aprender a Escuchar

Cuando le hablas a la gente sobre algo que te causa problemas, muchas veces los escucharás decir: «Te entiendo», «Comprendo», «Sé cómo te sientes», «También me ha pasado a mí», y otras frases similares de empatía. Por desgracia, estos débiles intentos no cumplen con su objetivo. Se puede decir este tipo de oraciones incluso sin haber escuchado una palabra de lo que la otra persona estaba diciendo; suenan bien pero pueden estar vacías. Lo que los seres humanos quieren, es saber que su pareja en verdad les comprende.

La Forma Poderosa de Escuchar, en la cual se retroalimenta a la pareja con la esencia de su mensaje, es una prueba clara de que se comprendió. Esto es lo que buscamos y es lo que la Forma Poderosa de Escuchar nos ofrece. Por esta razón, una vez que le hayas ofrecido retroalimentación a tu pareja, ésta se sentirá comprendida, porque sabrá, más allá de toda duda, a través de las palabras que hayas utilizado, de tu tono de voz y de tu lenguaje corporal, que en verdad comprendiste.

Esta retroalimentación cariñosa, basada en la empatía y la aceptación, es lo que ayuda a liberar los sentimientos difíciles, a desenredar los pensamientos confusos, y a allanar el camino para nuevas soluciones. Es una droga maravillosa que no hace daño. Como la Forma Poderosa de Escuchar comunica tanto empatía como aceptación, nos ofrece los dos ingredientes más poderosos para ayudar a alguien a lidiar con sus problemas, y juega un papel esencial en el desarrollo de una relación íntima y cariñosa.

El papel de escuchar ha sido muy bien resumido por la escritora George Eliot, quien dice: «Queremos que la gente sienta con nosotros, no que actúe por nosotros». Cuando batallamos con la frustración, el desaliento, la confusión, el dolor, la tristeza o problemas de otro tipo, queremos que la gente —y en especial nuestra pareja— escuche y tenga empatía con nuestros pensamientos y emociones, no que intente resolver un problema por nosotros. Toda persona quiere saberse comprendida, y uno desea esto particularmente de su pareja. La empatía y la aceptación derivadas de la Forma Poderosa de Escuchar son las que ayudan a que la gente cultive la capacidad de lidiar con los problemas de la vida, nutriendo de manera simultánea los lazos de su relación. ¡Ningún Matrimonio de Clase Mundial puede existir sin estos dos elementos!

> *Cuando tu teléfono no suene, ése seré yo*
>
> Titulo de una canción «Country»

PILAR **6**

Olvidar el «Unas por Otras»

Ambos están a dieta y evitando comer dulces. Después de una cena en el restaurante, tu pareja ordena una rebanada de pastel de chocolate. Tú dices: «Bueno, si tú dejas la dieta por hoy, yo también».

Tu pareja ha estado molestándote al coquetear muchísimo en las fiestas a las que van. Le anuncias que decidiste hacer lo mismo, y dices: «¡Vamos a darle un poco de su propia medicina!»

Tu pareja nunca te ayuda a recoger el desorden causado por la vida cotidiana en casa; finalmente estallas: «¡Estoy harto(a) de ser el(la) único(a) que limpia en este lugar: ahora es tu turno de hacerlo!»

Éstos son ejemplos de «unas por otras». En todos ellos se dice: si tú puedes hacerlo, yo puedo hacerlo... si me lastimas, yo te lastimo... si yo lo hago por ti, tú debes hacerlo por mí. ¿Comprendes? Es el mismo tipo de pensamiento que produjo frases como «ojo por ojo y diente por diente».

El problema está en que esto contiene una falla lógica terrible, pues consiste en un intento de atribuir causas y efectos donde sólo hay correlación. Peor aun, y en esto es en lo que consiste su atractivo, te permite satisfacer tus necesidades sin hacerte responsable.

En el caso del primer ejemplo, pretendes que la falta hacia la dieta de tu compañero causa, o al menos justifica, la tuya. En el segundo, logras coquetear pretendiendo que tan sólo castigas a tu pareja por haberlo hecho. En el tercero, manipulas con culpa disfrazada de justicia para forzar a tu pareja a ayudarte con el aseo. La irresponsabilidad de estas tácticas se vuelve prácticamente invisible debido a la casi universal aceptación de la validez de unas por otras, ¡que se practica en todas partes! Pero una política de ojo por ojo dentro de tu matrimonio muy pronto dejará a un par de compañeros tuertos, chimuelos y viviendo una relación infeliz.

Cuando surge la tentación de utilizar el unas por otras, una mejor opción consiste en detenerte y examinar tus necesidades y motivos.

Comer postre porque tu pareja lo está haciendo es una forma de utilizar la falla de tu pareja para justificar lo que quieres hacer sin tomar responsabilidad por haberlo hecho. Por tanto, si falla esta táctica, ¡luego puedes culpar a tu pareja porque tienes unos kilitos de más! Esta clase de pensamiento es perjudicial para las relaciones. Un mejor acercamiento es admitir que uno desea comer postre, aunque esté prohibido por la dieta y, entonces, decidir si se está dispuesto a soportar el peso que pueden provocar las calorías extra, y las consecuencias que el sucumbir a tus tentaciones puede dejar en tu motivación para mantener la dieta. Si entonces decides ordenar el pastel de chocolate, habrás tomado una *decisión responsable basada en tus propias consideraciones*, en lugar de haber responsabilizado a tu pareja.

En el ejemplo del coqueteo están presentes dos componentes que evitan tomar responsabilidad. Si lo que verdaderamente quieres es seguir coqueteando, necesitas reconocer ese hecho ante ti mismo (a) y considerar los muchos pros y contras generados por una decisión afirmativa o negativa, en lugar de utilizar el comportamiento de tu pareja como una justificación por haber coqueteado y un escudo contra su desaprobación.

La otra forma de irresponsabilidad consiste en utilizar *tus* coqueteos como una forma de castigar a tu pareja por haberte herido y, entonces, también utilizar *sus* coqueteos como un escudo contra posibles enojos. Dos errores no hacen un acierto, ¡y tres errores tampoco! Es mucho mejor tener el valor de confrontar con claridad a tu pareja y decirle de una forma congruente que sus coqueteos te duelen y te provocan ansiedad, escuchar su punto de vista y solucionarlo entre ambos, en lugar de lastimar su preciosa relación con cualquier versión de unas por otras.

En el caso del ejemplo sobre el trabajo doméstico, si quieres ayuda para mantener la casa aseada, pídela. No te humilles utilizando la justicia como un arma con la cual manipular a tu ser amado. Si aun así no consigues la ayuda, tienes un conflicto que debe resolverse de una forma creativa que satisfaga tus necesidades, pero también las necesidades de tu pareja. Resolver un problema será mucho mejor para la relación que una dosis de unas por otras.

Cuando tu pareja ha hecho algo que te molesta o lastima, es importante que se comuniquen al respecto; primero confrontándose, y después escuchando la respuesta a la confrontación. El resultado puede ser que tus sentimientos heridos se eliminen o que tu pareja cambie de comportamiento. O quizá te des cuenta que tienen un conflicto que necesitan solucionar juntos de una manera que sea aceptable para ambos. En cualquiera de estos casos, al confrontar, escuchar y resolver problemas, la cercanía puede remplazar al dolor, y pueden encontrarse soluciones que satisfagan las necesidades de ambos. El unas por otras nunca trae resultados similares.

El Unas Por Otras Verbal

Para muchas parejas, el unas por otras es un juego verbal y no está conectado con ningún otro tipo de comportamiento. Sin embargo, el unas por otras verbal puede tener resultados sorprendentemente dolorosos.

Samantha dice: «Anoche me resultó dificilísimo dormir debido a tu tos». Iván responde: «Bueno, escucharte roncar tampoco fue un día de campo». Esto por Aquello verbal: tú me dices algo crítico, grosero, o me culpas por algo, y yo te pago con la misma moneda.

Ben dice: «¿Qué caso tiene que lleguemos a tiempo?... Tú siempre llegas tarde». Randy le grita: «Sí, pero al menos respondo mi celular... ¡a diferencia de ti!»

Trevor dice: «Para qué molestarme en hacer ejercicio... tú eres más floja que yo». A lo que Becky responde: «Quizá me preocuparía si te fijaras en mí».

Esta esgrima mental funciona igual que el deporte del mismo nombre. Tú tiras una estocada y tu pareja intenta evitarla: ¡*Touché*! ¡*Touché*! Pero, a diferencia del verdadero esgrima, en el juego del unas por otras verbal siempre hay dos perdedores.

El unas por otras verbal es una manifestación rápida y sucia del Juego de la Culpa y, como ya mencionamos anteriormente, no existe nada más corrosivo para una relación que la culpa.

Sin embargo, una inspección más detallada de lo que se dice durante estos intercambios verbales, revela valiosa información sobre lo que cada miembro de la pareja siente y piensa.

El problema consiste en que esta importante información se utiliza a manera de espada para herir a la pareja cuando, de hecho, representa una valiosa comunicación, llena de emociones, con la que debe lidiarse de una manera sensible y cuidadosa. Sin embargo, utilizarla como arma con la cual herir a la pareja evita que se aborde y resuelva de una manera efectiva.

La manera de romper el círculo del unas por otras es detenerse en el primer round. Esto no resulta sencillo... pero es esencial. Cuando escuches una crítica de tu pareja, sin importar lo leve o hiriente que sea, DETENTE antes de contestar con un unas por otras verbal, cálmate en la medida que te sea posible, y prepárate para poner en práctica la Forma Activa de Escuchar (Forma Poderosa de Escuchar) ante el mensaje de tu pareja.

En los ejemplos previos, la Forma Activa de Escuchar llevaría a decir:

1. «Tengo la impresión de que mi tos te molestó mucho anoche».

2. «Al parecer, que llegue tarde es un hábito que te molesta mucho».

3. «Parece que en verdad te molesta mi apariencia».

Lo que sucede cuando te detienes para practicar la Forma Activa de Escuchar ante las críticas de tu pareja es que abres la puerta a un diálogo serio y trascendente en relación con un problema que puede estar minando la relación. El problema afloró de alguna manera dentro de esta situación, quizá de una manera que tu pareja nunca anticipó, sin embargo se trata de un problema que ha estado molestándola, que amerita una plática seria al respecto y que demanda una solución.

Cuando utilizas la Forma Activa de Escuchar hacia el

ataque inicial de tu pareja, sin importar cuánto te haya culpado, se elimina la esgrima verbal, se detiene la discusión, y ésta se lleva rápidamente a un marco de referencia libre de culpas. Así, se abren las puertas para una plática significativa.

Por ejemplo, en las situaciones previas:

1. «Bueno, sí, en verdad me molestó escucharte toser y me enojó perder tanto tiempo de sueño ante el ajetreado día de trabajo que sabía me esperaba».

2. «Sí, en verdad me molesta. Me gustaría poder contar contigo para llegar a tiempo. En verdad me gustaría eso».

3. «Sí. En verdad odio que te veas tan mal. Me casé con una mujer hermosa y resulta terrible para mí ya no tenerla».

En este momento ya resulta evidente que tú y tu pareja han comenzado una plática íntima verdadera en relación con un tema importante de sus vidas. El diálogo es profundo, el problema es real, y ahora se están confrontando de una forma abierta y honesta. La relación puede mejorar con esta cualidad comunicativa y, quizá, también con la solución al problema.

Nada de esto puede suceder si respondes al ataque inicial con un unas por otras verbal. En lugar del diálogo íntimo que la Forma Activa de Escuchar puede crear, tu unas por otras verbal lleva el comentario crítico de tu pareja a una escalada en la que ambos terminan golpeados.

Es como siempre te decía tu madre: «Dos errores no hacen un acierto», y no hay relación que prospere con el unas por otras verbal. Los insultos y los ataques no crean intimidad y no abren la puerta a soluciones satisfactorias. Cuando escuches a tu pareja decir algo crítico sobre ti, intenta no tomarlo como un ataque, evita una actitud defensiva, y reorienta tu respuesta de una manera más productiva, utilizando la Forma Activa de Escuchar la genuina preocupación que subyace al comentario de tu pareja. Transforma la tentación de darle una estocada a tu pareja, en la oportunidad de tocar sus emociones.

Reciprocidad a través de la Coerción: Un Sutil Pariente

Drew le dice a Diana: «Siempre te hago masajes de espalda, pero tú nunca me das uno a mí. Creo que me debes uno». Drew intenta recibir reciprocidad de parte de Diana por su generosidad. Como Drew le ha dado muchos masajes, piensa que merece recibir alguno de parte de ella e intenta presionarla para que sea recíproca con base en un sentido de justicia (al parecer, un unas por otras «positivo»).

Desgraciadamente, esta es una fórmula perfecta para tomar un acto de generosidad y convertirlo en reciprocidad forzada. Esta versión del unas por otras tampoco funciona. El que yo haga algo bueno por ti no te obliga a hacer algo bueno por mí, a menos que previamente hayamos hecho un pacto de masajearnos mutuamente las espaldas. *Los regalos son regalos, sin importar cuáles sean.* Si se ponen condiciones no se trata de regalos. Si quieres que te den un masaje de espalda, pídelo. No intentes coercer a tu pareja: «Después de todo, yo te hago muchos masajes, así que tú también deberías darme uno». Tu pareja necesita que se le dé la oportunidad de responder a una petición con el corazón libre.

Por lo general, a menos que tu necesidad sea demasiado imperiosa, resulta benéfico al pedir algo a nuestra pareja que estemos abiertos a recibir un «sí» o un «no» como respuesta, sin importar si se trata de un vaso de agua, ir juntos a un partido de béisbol o tener relaciones sexuales. Irónicamente, cuando se le otorga la libertad a la gente de satisfacer alguna petición, hay más probabüidades de que quieran cumplir. Esto es magnífico, porque el intercambio no se contamina con la dinámica de la obligación.

El meollo del asunto es que el unas por otras, en cualquiera de sus manifestaciones, es una forma de ser terriblemente injusta, disfrazada de justicia. Reconoce que cada uno es una persona distinta, con sus propias necesidades. Responsabilízate de tu propio comportamiento sin utilizar comportamientos similares de tu pareja para justificarlo, pídele a tu pareja lo que deseas sin utilizar la justicia como un arma con la cual ejercer coerción, y nunca utilices el unas por otras para responder a un ataque cuando lo que se necesita es una confrontación directa y congruente.

Siempre ten el valor de hacer que se sepan tus necesidades y lucha por ellas, en lugar de utilizar el unas por otras como un escudo.

El sarcasmo es tan sólo otro de los servicios que ofrecemos.

Anónimo

PILAR **7**

Reconocer los Peligros de las Expresiones Irónicas

En nuestros días, el habla popular que han difundido las series cómicas de la televisión, los discos de rap y las salas de chat en Internet, tiende a ser fría, distante, irónica e incluso un tanto hostil. Salpicar el habla nuestra con expresiones populares y comentarios irónicos como «¡Sí, claaaaro!», o «Es todo un cerebrito... ¡quemado!» o «Me vale..». es pegajoso y puede hasta parecer gracioso.

Pero siempre que los sentimientos están en juego, la ironía, el sarcasmo, las frases hechas y otros tipos de habla «con expresiones de moda» tienden a ser formas de comunicación poco claras y peligrosas que dejan espacio al malentendido o el dolor.

Cuando las emociones surgen, cualquier mensaje que no sean tus honestos sentimientos o pensamientos, lleva el riesgo de provocar malentendidos, confusión o dolor.

La ironía (decir lo contrario de lo que se quiere decir para crear un efecto divertido) es graciosa en pequeñas dosis y cuando los sentimientos no están a flor de piel. Pero utilizar la ironía como una forma importante para relacionarse, termina siendo una manera de mantenerse protegido y distanciado en lugar de comprometido y vulnerable. Esto es frío en un sentido emocional, lo contrario a caluroso y amoroso. La frialdad no genera relaciones cálidas y amorosas, ¡así que utilízala con moderación!

El sarcasmo (ironía cortante o despreciativa) casi siempre resulta doloroso. Su uso genera cicatrices en los sentimientos de tu pareja, erosiona la confianza y la autoestima, y no tiene cabida dentro de un Matrimonio de Clase Mundial.

Las expresiones irónicas de moda a veces son hostiles. Por ejemplo: «¡No me digas!» puede parecer una manera curiosa e inofensiva para decir «¡Ésa es una idea tonta!», pero no es sino un mensaje poco claro o revelador que deja a tu pareja con un vago sentimiento de haber dicho o hecho algo malo, pero sin tener una idea clara de qué, o por qué, o cómo, y hace que preguntar sea riesgoso. Así, el intercambio puede terminar hiriendo los sentimientos de tu pareja y colocando distancia entre ustedes.

Es bueno recordar que los personajes de las series cómicas que pasan en televisión utilizan el sarcasmo, la ironía y otras formas de comunicación indirecta porque se supone que deben sonar graciosas, pues están actuando para hacer reír a la gente, sin importar lo hirientes que sus mensajes sean para los otros personajes del programa. Además se supone que deben propiciar malentendidos que generen enredos. A ellos no les preocupa cuánta confusión y dolor causen, porque su trabajo es entretener al público, no crear una relación cercana y amorosa. Con la persona que amas tú tienes metas distintas, y es mucho más probable que tengas éxito si intentas comunicarte de una forma clara, abierta y directa. A final de cuentas, hablar «en onda» no es tan gracioso. Cuando las fichas están en la mesa, hablar con sarcasmos no es «buena onda» (cool).

> *La vida se transmite sexualmente.*
>
> Anónimo

PILAR **8**

Aprender a Manejar Temas Espinosos

Los asuntos de sexo y dinero son similares a otros temas con los que tienen que lidiar las parejas, a excepción de que en éstos la carga emocional es mayor, los sentimientos de las personas son más intensos y se acompañan de irracionalidad, vulnerabilidad y una mayor preocupación por los resultados. Es por ello que son temas espinosos. Es importante que te armes de sensibilidad y habilidades de comunicación de modo que estos importantes tópicos puedan resolverse de la manera más satisfactoria posible para ambos. De otra forma, sus sentimientos se lastimarán gravemente y la relación sufrirá mucho. La clave para el éxito al tratar sobre sexo, dinero, familiares políticos o cualquier otro tema emocionalmente complejo es la Comunicación de Clase Mundial: escuchar con sensibilidad y empatia, expresar tus necesidades y preferencias abriéndote y permitiéndote ser vulnerable, y manejar los conflictos y desacuerdos de manera que funcionen para ambos.

Consejos para hacer arder Tu Vida Sexual

1. Algo básico que necesitas saber sobre el sexo es: *cuando tienes ganas, tienes ganas, cuando no, no.* (Y lo mismo se aplica para tu pareja.) Reconoce esto y estarás enfrentando la realidad.

74

Y cuando uno de los dos se siente caluroso, significa que la puerta puede abrirse. Habla con tu pareja de lo que podría gustarle: palabras dulces, caricias gentiles, bailar, un masaje... ¡las cosas pueden subir de temperatura!

2. Si no consigues lo que quieres, pídelo abiertamente. No esperes que tu pareja lea tus pensamientos o te cumpla algún sueño que nunca has mencionado.

Recuerda: una relación satisfactoria radica en suplir tus necesidades. Tomar la responsabilidad de comunicarlas es el primer paso. Es importante invertir en la capacidad que tiene tu pareja de agradarte, compartiendo aquello que te resulta importante en el terreno de la sexualidad.

3. No dejes las cosas al azar. Hazte un tiempo para el amor, de la misma forma que lo haces para los deportes o las amistades. Concede al sexo su lugar legítimo como una de las actividades de la vida más significativas, importantes, necesarias y gozosas.

Como dice el dicho: «Mucho trabajar y poco disfrutar... mejor mándate matar!»

4. Utiliza el poder del «no». Si tienes antojo pero ella o él no, intenta esto: pide que te respondan con un fuerte sí o no a tu pregunta «¿quieres hacer el amor en este momento?» Si la respuesta es afirmativa, ya lo tienes. Si la respuesta es negativa, entonces haz que aumente la fuerza de la respuesta negativa, probando con algo como: «¿Estás segura(o)?» Después de una respuesta como «¡Sí, estoy segura(o)!», responde de buen grado: «Está bien». Entonces espera unos momentos y pregunta de nuevo. La mayor parte de las veces, si tu pareja puede decir «no» y *saber que tú lo aceptarás*, le permitirá dejar que esa emoción pase para dejar la puerta abierta a otros sentimientos amorosos. Ésta es una de las pruebas más bienvenidas

y convincentes que conocemos de aquel adagio que reza que todas las emociones son transitorias, si pueden expresarse y aceptarse cabalmente. Inténtalo, ¡te va a gustar!

El Sexo Como Comunicación No Verbal

El sexo es la forma de comunicación no verbal por excelencia. Este poderoso lenguaje corporal abarca desde una mirada, una caricia, un beso leve, un suspiro, hasta una unión apasionada de dos cuerpos jadeantes.

A pesar de lo clara y satisfactoria que a menudo resulta, la comunicación no verbal también puede ser ambigua, lo que ocasionalmente causa que las parejas lean equivocadamente sus señales no verbales, asumiendo cosas totalmente erróneas en relación con las preferencias y sentimientos sexuales del otro. Por ejemplo, en las primeras y tentativas etapas de prueba del interés mutuo por hacer el amor, uno de los dos puede interpretar un movimiento cualquiera como un rechazo, cuando no hubo esa intención. Un movimiento de alejamiento puede tratarse de un ajuste para acomodar un dolor de espalda, no una negativa a los avances de la pareja. Para evitar estos dolorosos y desalentadores malentendidos, ambos necesitan hacer acopio de valor para comunicar *verbalmente* las señales no verbales poco claras, para verificar si hay comprensión y evitar dar por sentado cosas que pueden velar el placer sexual.

Como las emociones están ligadas a nuestra sexualidad, y es tan grande nuestro deseo de agradar y ser satisfechos por nuestra pareja, estamos caminando sobre un terreno vulnerable. Para asegurarte de que al hablar acerca de tus necesidades sexuales y deseos eres lo suficientemente dulce y cariñoso, recuerda utilizar la apertura personal del Lenguaje–Yo para comunicarte y escuchar con empatía cuando sea tu pareja la que hable sobre sus propias necesidades. El sexo es un tema delicado en el que nos encontramos vulnerables, así que esta técnica te ayudará a compartir de una forma profunda e íntima y a satisfacer en gran medida tus más preciados deseos sexuales, así como los de tu pareja. Además, a medida que crezcan sus habilidades comunicativas y que los 16 pilares de un Matrimonio de Clase Mundial se incorporen a otras áreas de sus vidas, su manera de hacer el amor será la primera beneficiada por una relación que también ha mejorado. Sus ganas serán mayores y sus negativas serán aceptadas.

El Sexo como Una Forma de Crecimiento

El sexo es el máximo acto de equilibrio entre la generosidad y el egoísmo. Para que sea mutuamente satisfactorio, es necesario lograr este equilibrio.

Cuando nuestras hormonas son jóvenes y ardientes, este equilibrio llega con mayor facilidad y ni siquiera puede llegar a parecernos un acto de equilibrio: ambos están deseosos y todo resulta excitante y satisfactorio. Después de unos años de matrimonio y de algo de disminución hormonal, estos temas comienzan a ser importantes.

Para lograr la satisfacción sexual es necesario que sepas lo que quieres, y cuentes con el valor para comunicárselo a tu pareja, además de la confianza necesaria para hacerlo. Todo ello nos demanda fuerza y, a muchos, también crecimiento personal.

Para que tu pareja alcance contigo la satisfacción sexual, se necesita de fuerza y confianza de su parte, de sensibilidad y desprendimiento de la tuya. Puede ser que tú también debas ir más allá de lo que te parezca natural hacer para satisfacer a tu pareja. Es fácil calificar las preferencias sexuales de tu pareja como estúpidas, inapropiadas, innecesarias, vulgares, molestas, aburridas, penosas. Pero recuerda que la crítica y la culpa no ayudan en nada y tu pareja tiene derecho de satisfacer sus necesidades sexuales, como todo mundo. Con el sexo, al igual que con los demás temas a los que se enfrentan, lo principal es encontrar soluciones que satisfagan a ambos. A medida que puedas crecer y expandir de una manera genuina tus capacidades en relación con las soluciones sexuales favoritas de tu pareja, facilitarás que él o ella satisfaga sus necesidades relacionadas con el sexo.

Así, la satisfacción sexual, como todos los aspectos de una relación de matrimonio, finalmente se relaciona con el crecimiento hacia una mayor comprensión de tus propias necesidades y la manera de comunicarlas y satisfacerlas con tu pareja; se trata de llegar a una compasión y flexibilidad mayores para ayudar a tu pareja a satisfacer las suyas; es una cuestión de definir formas personales de experimentar juntos los placeres físicos tan especiales que se pueden otorgar como pareja.

El sexo es sexo pero también es muchas otras cosas. Al igual que otros aspectos del matrimonio, el sexo te da una oportunidad de oro para crecer como ser humano y expandir el nivel de satisfacción que obtienes de tu relación. El libro de David Schnarch, llamado *Passionate Marriage*, es una excelente ayuda para definir tu necesidad sexual, y para hacerte comprender el potencial sexual que tienes en la relación con tu pareja.

Si decides ocultar frustraciones sexuales a ti mismo y a tu pareja, perderás los beneficios del crecimiento personal, la satisfacción física y la intimidad profunda con tu ser amado. Es un precio demasiado grande el que hay que pagar por no entrar al juego.

Claves Para el Manejo del Dinero en una Comprensión Mutua

1. Date cuenta del gran papel que juegan la ansiedad y el miedo dentro de las actitudes y comportamientos que tú y tu pareja tienen en relación con el dinero. Desarrolla una compasión genuina tanto por tus problemas al lidiar con esto como por los de tu pareja.

Tendemos a pensar que se debe tratar el tema del dinero (aparentemente lógico, matemático, inerme) de una forma racional. Muchas veces nos decimos que así lo hacemos. Pero es fácil que la irracionalidad domine en los asuntos monetarios. Sin saberlo, a uno de los miembros de la pareja le asalta el miedo y se siente inadecuado o inadecuada para manejarlo de forma efectiva, siente que va a perderlo todo o que no le va alcanzar para pagar las cuentas. Otro puede gastar excesivamente por negación, para eliminar la ansiedad o para probarse que tiene suficiente para pagar sus gastos. Mucha gente tiene fuertes deseos irracionales de adquirir posesiones para confirmar su valía. Para nuestra pareja, que batalla con sus propios demonios financieros, puede que parezcamos tacaños, codos, egoístas, despilfarradores, controladores, tontos, imposibles o locos.

Mientras la naturaleza altamente emocional del manejo monetario se oculte debajo del tapete de la racionalidad, será difícil lograr un manejo exitoso del dinero. Dentro de esta área de la relación tienen que ejercitar una compasión enorme que nutra sus habilidades de empatia, aceptación y honestidad, lo que permitirá que ambos sean más fuertes.

2. Dentro del contexto de toda la locura potencial que rodea al dinero, vale la pena recordar que, en el fondo, a tu pare-

ja nada le gustaría más que satisfacer todas tus necesidades y darte todo lo que siempre has querido. De no poder hacerlo, es probable que tu pareja se sienta triste y frustrada. Tú también querrías darle lo mismo y sentirías la misma frustración. Por tanto, enterradas debajo de todos los argumentos racionales están las maravillosamente buenas noticias de que a los dos en verdad les gustaría satisfacer todas las necesidades de su pareja. Háganse un favor y expresen estos deseos y sentimientos de generosidad, dejándolos aflorar para que puedan alimentar su comprensión sobre la forma de manejar juntos el dinero. No van a tener dinero para comprarlo todo, pero saber que tu pareja quisiera darte el mundo alimenta la relación.

A Marsha siempre le han encantado las joyas y quería que Alex le diera una de cumpleaños, pero a su esposo le parecía un desperdicio de dinero. Es más, su situación financiera era apretada y en verdad no había tanto dinero para gastar en artículos que no fueran verdaderamente necesarios. Al hablar de esto, Alex reveló que se sentía atrapado dentro de un callejón sin salida: comprarle la joya a Marsha le hacía sentir que había utilizado mal sus limitados recursos, no comprar la joya implicaba el riesgo de hacer que su esposa se sintiera profundamente desilusionada. A través de la Forma Poderosa de Escuchar, Marsha pudo comprender el problema de Alex y sentir compasión por él. Saber que su esposa lo había comprendido, logró que Alex se liberara de una enorme tensión y pudo darse cuenta de que, a pesar de sus sentimientos personales hacia la joyería, en verdad quería que Marsha fuera feliz y, si una joya le hacía feliz, entonces quería que la tuviera. Esta comprensión y cariño mutuos hacia las necesidades del otro les hizo sentir bien a ambos. Aunque no se compró ninguna joya ese cumpleaños, el haber compartido en una forma profunda de comprensión, evitó que este tema fuera una fuente de dificultad e irritación para ambos.

3. En la medida que les sea posible, organicen una forma de manejar el dinero que les dé la sensación de estar juntos en ello. Está bien tener fondos especiales por separado, sin embargo, no pases por alto las oportunidades de cercanía emocional que vienen del tener al dinero como un fundamento mutuo de la relación. («¡Ahorramos suficiente dinero para el pago!»; «¡Tenemos suficiente para unas vacaciones!») Compartir el dinero y las decisiones acerca de su uso te da la oportunidad de alimentar sus sentimientos de cercanía, de unión. El dinero puede ser un catalizador para lograr una comunicación y una cercanía mayores. ¡Utilízalo como una forma de hacer su relación más profunda!

Hace varios años, Ralph heredó un poco de dinero de sus padres y lo invirtió con moderado éxito, pero aún sentía que no estaba manejando bien el dinero. Después de escuchar sus quejas al respecto y pensar en su sugerencia de que yo me encargara de manejar la herencia, me dedique a hacerlo. Esto abrió una nueva área de estudios para mí que ha sido una fascinante experiencia de aprendizaje. Como la ley de California indica que el dinero de las herencias no es una propiedad comunitaria, la herencia de Ralph no me pertenece en lo más mínimo; sin embargo, ésta es una forma maravillosa que tenemos para compartir. El hecho de que durante el primer año de mi manejo sus fondos hayan aumentado significativamente, fue un complemento muy emocionante para los dos: para mi autoestima y para la tranquilidad mental de Ralph en relación con su propia seguridad financiera.

Conexión De Corazón A Corazón

Un pensamiento final sobre los volátiles terrenos del sexo y el dinero: siempre recuerda la importancia de mantener una conexión de corazón a corazón entre tú y tu pareja. Esto significa que hay un hilo que une sus corazones y les dice: «Sin importar lo que suceda, nuestro amor, nuestra relación, nuestro cariño es lo que permanece, es lo que importa». Mantenerse conscientes de este principio y mantenerlo intacto les ayudará a comunicarse de una manera cariñosa y protegerá la relación mientras resuelven estos temas que a veces resultan difíciles.

Trata a tu pareja como ella quisiera que la trataras.

Harville Hendrix, Médico

PILAR **9**

Dar Cariño de la Forma que Cuenta

Mi padre (el de Patty) tenía un trabajo de tiempo completo además de un negocio casero. Su día de trabajo comenzaba a las ocho de la mañana y terminaba después de que yo ya me había dormido en la noche, además de que también trabajaba los sábados. Al parecer nunca tenía tiempo para mí, siempre estaba «demasiado ocupado en ese momento». Nunca quería hablar de cosas personales o de sus sentimientos. Sólo me dijo que me amaba poco tiempo antes de morir. Pasé la infancia intentando conseguir su aprobación, intentando evitar estorbarle y sentirme rechazada.

¿Mi padre me amaba de verdad? Claro que sí. Me amaba profundamente y me lo demostraba de la mejor forma que conocía: trabajando duro para mantener a su familia y haciendo dinero extra para que mi hermana y yo pudiéramos ir a buenas escuelas. ¿Esto me hacía sentir que me amaba? ¡En lo absoluto! Yo tomaba estos actos como mi derecho de nacimiento: ¡todo padre debe mantener a su hija y ayudarla a obtener una buena educación! Para mí no importaba demasiado que mi padre pusiera todo su esfuerzo en hacer esto. Me sentía amada por él sólo de una manera vaga, y sufrí durante muchos años hasta que la terapia me ayudó a comprender y aceptar la forma en que mi padre expresaba su amor por nuestra familia. Es triste que la forma de comunicación de mi padre no haya llegado en verdad a mi corazón sino hasta algunos años después de su muerte.

¿Por qué? El libro de Gary Chapman, *Los Cinco Lenguajes del Amor* (ver bibliografía) identifica al lenguaje amoroso de mi padre como «Actos de Servicio», mientras que los míos son «Tiempo de Calidad» y «Palabras de Afirmación». Mi padre expresaba su amor de una forma que le era significativa, mientras que yo hablaba un lenguaje emocional completamente distinto. Cuando sucede esto en la infancia, se guardan sentimientos de tristeza, abandono, depresión, así como dudas sobre uno mismo, dolor, furia, enojo, resentimiento.

Si dentro de tu matrimonio se da una falta de compatibilidad similar entre lenguajes amorosos, como adulto reconoces que existen opciones y, después de soportar mucha frustración por no sentirte amado o amada por tu pareja, una opción es el divorcio. La desilusión en cuanto a los lenguajes amorosos es fuente de muchos divorcios que, de otra forma, podrían haberse evitado.

Aunque muchas parejas no comparten automáticamente sus lenguajes amorosos, el distanciamiento emocional y el divorcio no son necesarios si se aprende a dar cariño de la manera que cuenta: en un lenguaje que comprenda nuestro ser amado.

Para aprender cuál es este lenguaje de tu pareja, utiliza el Lenguaje–Yo y la Forma Poderosa de Escuchar para aclarar las señales de amor que les sean significativas, de manera tal que puedan encontrar formas más satisfactorias de mostrarse su amor.

En su libro, Chapman identifica cinco tipos de lenguaje amoroso: Palabras de Afirmación, Tiempo de Calidad, Actos de Servicio, Recibir Regalos y Contacto Físico. Las Palabras de Afirmación son el lenguaje amoroso clásico, con el cual la mayor parte de la gente se encuentra familiarizada, y que a menudo forma parte del ritual de cortejo. Frases como «te amo», «te ves hermosa» con frecuencia acompañan y definen al sentimiento de estar enamorado o enamorada y juntos como pareja. Los otros lenguajes amorosos: pasar el tiempo juntos haciendo cosas que disfruten, hacer cosas consideradas para ayudar a tu pareja, dar regalos amorosos inesperados, así como tocar, acariciar y hacer el amor, son maneras en las que los miembros de la pareja se comunican mutuamente que se importan. Cada tipo de lenguaje es igual de válido, pero como todos somos seres únicos, es importante (crucial) aprender de tu pareja cuáles son las expresiones de amor, compromiso y cariño que más importan en su mundo. No tiene caso que pierdas el tiempo dando, dando y dando, si con esto no llegas en verdad al corazón de tu pareja.

Al igual que muchas novias, me casé con una miniversión de mi padre: Ralph es casi un adicto al trabajo y a mí me resulta fácil sentirme abandonada mientras él trabaja amorosamente hora tras hora en las aparentemente interminables labores caseras y de nuestro negocio (compartiendo la escritura y edición de este libro, diseñando folletos, administrando el sitio web, manejando nuestras cuentas), docenas de proyectos, todo el tiempo. ¿Estos actos de servicio me hacen sentir amada? ¡Claro que no! Aunque aprecio el trabajo que él hace, muchas veces, cuando lo está haciendo, me siento abandonada, infeliz y poco amada si él pasa demasiadas horas extra haciendo estas cosas, sombras de mi dolorosa experiencia infantil. Además, es una situación común en muchos matrimonios.

Por fortuna, gracias a una buena comunicación, Ralph y yo reconocemos el peligro de la combinación de sus largas horas de trabajo y mi tendencia a sentirme abandonada, así que oficialmente decidimos reservar algo de tiempo cada fin de semana para hacer algo especial juntos: «salir de aventuras», le llamamos. A veces se trata de un elaborado plan para ir a algún sitio especial, a veces es una caminata en alguna playa cercana, a veces sólo abrimos el quemacocos del que llamamos nuestro «auto de aventuras» mientras vamos de camino a hacer alguna encomienda. Sea lo que sea que hagamos, lo hacemos en reconocimiento de que es algo que nos resulta divertido como pareja, diferente a lo que hacemos en nuestras actividades cotidianas, un momento para experimentar nuestro sentimiento de cercanía y amor. Con esto, Ralph me da el tiempo de calidad que yo necesito para sentirme amada.

Obviamente, uno de los lenguajes amorosos primordiales de Ralph es el de los Actos de Servicio. Al paso de unos años de nuestra relación, yo me horroricé al darme cuenta de que lo que más deseaba él era que le cocinaran la cena todas las noches. Esto se me hacía pavoroso, ya que cocinar una cena maravillosa no encajaba dentro de la imagen que tenía de mí misma. («Yo soy una profesionista, no una ama de casa... ¡es indigno esforzarme en cocinar!») El enorme deseo que él tenía de esto fue un descubrimiento terrible para mí.

Sin embargo, al escucharlo reconocí lo genuino y profundo de su deseo: su padre había sido dueño de un restaurante famoso por su comida, su madre había sido una cocinera profesional, y una buena cena simplemente lo hacía sentirse amado. Después de analizar mis sentimientos, decidí rendirme ante Ralph en esto (ver pilar 12, *Saber Cuándo Rendirse*), y tomé la determinación de hacerle buenas cenas regularmente. De alguna manera, casi como por arte de magia, me convertí rápidamente en una mejor cocinera, y Ralph en un esposo mucho más feliz. Un camino hacia el corazón de Ralph es, ciertamente, a través de su estómago: y yo no podía sentirme bien conmigo misma como una compañera valiosa de por vida para esta persona, si no hacía un esfuerzo por expresarle mi amor de una de las formas más importantes para él, a través de este acto de servicio.

Cuando las parejas comienzan a conocerse y se dan cuenta de que sus maneras de comunicar cariño son marcadamente distintas, a menudo se separan rápidamente. Experimentan la sensación de ser «demasiado diferentes» y la relación decae. Otros no descubren sus diferencias hasta después de que se han casado, o de que comienzan a vivir juntos.

Brad y Judy se fueron a vivir juntos después de conocerse durante dos años mientras estudiaban sus maestrías. Su relación era fuerte y el mudarse juntos simbolizaba su compromiso. Poco después de iniciar su hogar compartido, el comportamiento de Judy cambió. En lugar de ser la persona amorosa y atenta que Brad conoció en la escuela, comenzó a poner una enorme cantidad de energía en el aseo de la casa. Brad sentía que estaba viviendo con una persona distinta, y en verdad extrañaba a la compañera amorosa y atenta a la que estaba acostumbrado. Brad compartió su frustración y tristeza al respecto con Judy y se dio cuenta (con algo de sorpresa) de que ella intentaba mostrarle amor al mantener una casa hermosa, al igual que su madre había hecho con su padre. Después de comprender que a él no le importaba tanto que la casa estuviera limpia o que sus camisas estuvieran planchadas, Judy estuvo de acuerdo en quitarle importancia a estas actividades y pasar más tiempo divirtiéndose y siendo afectuosa con Brad.

Aprender a mostrar cariño de la forma que cuenta para tu pareja es esencial. Para muchos de nosotros, esto trae como resultados el tener que ir más allá de lo que acostumbramos para comunicarnos de maneras que nos parecen extrañas. Hacer de cenar ciertamente no era mi elección para mostrarle a Ralph mis sentimientos de amor... y mi primera reacción consistió en resistirme por completo a la idea.

El Matrimonio y el Crecimiento

Para evitar quedarte atorado o atorada en esa resistencia, es útil recordar que el matrimonio es, por excelencia, el terreno más fértil para el crecimiento. El matrimonio es el terreno sobre el cual nos enfrentamos con otro ser humano en miles de situaciones a lo largo de un período de muchos años. La profundidad y la extensión de esta experiencia ofrece retos interminables. No podemos esperar que «quienes somos», cuando nos juntamos por primera vez como pareja, sean personas lo suficientemente completas para responder de manera satisfactoria a todas las necesidades de la relación que irán surgiendo con el paso de los años. «Quienes somos» necesitan cambiar: es necesario que crezcamos, nos expandamos, que aprendamos nuevas habilidades, que nos comuniquemos de formas nuevas, que aumentemos nuestra comprensión y aceptación de los demás, que expandamos nuestros repertorios intelectuales y emocionales, y aprendamos cómo darle a nuestra pareja un cariño que en verdad le resulte importante y sea significativo para él o ella.

Estar comprometidos en una relación nos ofrece una de las mayores oportunidades de la vida para convertirnos en personas más valiosas. Si no respondemos a estos retos le quitamos a nuestra pareja y a nosotros mismos la oportunidad de conocer la riqueza, pienitud y belleza que subyace en nosotros. Si me hubiera quedado en la posición de que como una profesionista no se me debería pedir que cocinara la cena, habría perdido la oportunidad de mostrarle mi cariño a Ralph de una forma que en verdad le resultaba significativa. También me hubiera perdido de la oportunidad de expandir mis habilidades como ser humano, además del haber expandido la imagen que tengo de mí misma y el moverme más allá de una estrecha visión de mí misma como «profesionista», hasta llegar a una auto–defimción que abarca una complejidad mayor (¡incluyendo el ser una profesionista que sabe cocinar!). Mi disposición a mostrar mi cariño por Ralph de una manera que en verdad lo sintiera trajo como resultado una compensación extra para ambos.

Claro que se siente raro cuando intentas hacer cosas nuevas. A menos que seas un hablante nativo del francés, tus primeros esfuerzos al hablar esta lengua se sentirán extraños, incluso grotescos. Tú no eres así, no te sientes a gusto con la lengua y tienes miedo de hacer el ridículo por hablarla tan mal. Todos los comportamientos nuevos ocurren de esta manera. Cuando aprendes más sobre las formas en las que a tu pareja le gustaría que le expresaras tu amor, será probable que sientas que se te está pidiendo hablar un idioma extranjero. No se va a sentir natural y es necesario que sepas que esto sucederá y encuentres la manera de tolerarlo.

«¿Por qué estoy aspirando la casa para mostrarle mi amor, cuando yo preferiría darle un buen masaje?»

«¿Por qué tengo que decirle todo el tiempo que la amo? ¡Pensaba que arreglarle el auto decía lo mismo!»

«¿Por qué tenemos que ir a un partido de béisbol? ¿No podríamos simplemente sentarnos a hablar?»

«¿Por qué quiere flores? ¡Le digo que la amo a diario!»

¿Por qué? Porque si expresas tu amor en formas que verdaderamente cuenten para tu pareja, el beneficio para él o ella será el mayor y tú conseguirás un impacto máximo por tus esfuerzos. ¡La eficacia de esto no debería ser ignorada! Y tu ser amado merece poder experimentar tu amor y cariño en el lenguaje que más le haga vibrar.

Recuerda, la vida nunca es estática y el matrimonio es una cuestión de crecimiento. Aprende a hablar lenguajes nuevos, aprende a encontrar distintas maneras de expresarte; crece y ayudarás a que crezca el sentimiento de felicidad que tu amor le proporciona a tu pareja.

> *Salgo con una chica durante dos años y entonces empieza*
> *a molestarme con que quiere saber cómo me llamo.*
>
> Mlke Blnder

Cambiar Comportamientos, No a Tu Pareja

Una sola palabra: imposible. Tu pareja es un ser humano diferente, que tiene derecho a ser la persona que es. Los intentos continuos de cambiar a alguien traen como resultado resentimiento e incluso que tu pareja se aferré a esos comportamientos y a esas características que te desagradan, además de que muchos de los intentos por cambiar el carácter de la pareja están condenados desde el principio. Los adultos no cambian demasiado.

Tomemos como ejemplo el clásico caso de la chica que se enamora del guapo, encantador y sensual muchacho a quien también le gusta beber y apostar, y ama demasiado a las mujeres. Ella se siente atraída por él y todas sus excitantes cualidades, y se promete que domesticará el resto para convertirlo en la pareja perfecta. Cuando acaba la luna de miel, ella descubre con dolor que, a pesar de todos sus intentos, él sigue siendo todo lo que antes era, lo bueno y lo malo.

La mejor defensa ante un desastre así, por supuesto, es encontrar una pareja cuya personalidad, desde el principio, combine mejor con lo que tú deseas.

Pero incluso asumiendo que hayas hecho esto, hasta las personas más cuidadosas a la hora de buscar pareja, por lo general, se dan cuenta en algún momento posterior a la luna de miel de que están con alguien que tiene algunas características que les gustaría fueran diferentes.

Entonces, ¿qué se puede hacer?

La Importancia de la Aceptación

Primero date cuenta de que tu pareja es un ser humano íntegro, complejo, con un enorme repertorio de características y comportamientos, la mayoría de los cuales te gustan, pero no hay ni uno solo que puedas podar, como si arreglaras un arbusto. Tu pareja es un trato de paquete completo. Lo mejor es, como dice la canción, acentuar lo positivo para darte cuenta del maravilloso trato que hiciste y poner en perspectiva tus quejas. En pocas palabras, desarrollar la aceptación.

Las investigaciones psicoanalíticas han demostrado claramente que ofrecer un ambiente de aceptación, en el cual el otro se sienta seguro de ser quien es sin miedo a la crítica, es la forma en la cual los clientes experimentan un crecimiento y cambio sorprendentes. Al paso de los años de su vida juntos, la aceptación de tu pareja puede nutrir un crecimiento y cambios similares. Toma nota de que aunque la dirección que tome este crecimiento será escogida por tu pareja, no por ti, todo crecimiento tenderá a producir a un ser humano más rico con el cual podrás relacionarte.

Irónicamente, mientras que los intentos directos de cambio provocan resistencia, la aceptación genuina a veces abre la puerta al cambio, incluso en temas específicos. Esto es una dinámica poderosa, pero misteriosa.

El enigma se resuelve cuando te das cuenta de que cuando presionas, el otro generalmente presiona a la inversa.

«A lo que te resistes, persiste». En otras palabras, la presión por un cambio actúa de forma paradójica creando resistencia. Los padres de adolescentes saben de esto, a veces demasiado bien. Pero es igual de cierto con los adultos.

El esposo de Courtney, Bob, continuamente la molestaba para que bajara de peso. Courtney respondió afirmando que sólo estaba rellenita y que la dejara de molestar. Finalmente, Bob se rindió. Ya conoces el final de la historia: una vez que Bob dejó de presionarla para que perdiera peso, Courtney estuvo en libertad de tomar su propia decisión y, al final, el sobrepeso desapareció.

Serena y Ken vivieron juntos como pareja sin haberse casado, durante cinco años; la mayor parte de ese tiempo Serena plagaba a Ken con peticiones de matrimonio. Él siempre se resistía, diciendo «algún día». Serena estaba frustrada, Ken se sentía atrapado. Finalmente, Serena se dio cuenta de que no iba a llegar ningún lado molestándolo y decidió quedarse en paz consigo misma al reconocer que, aunque no estuvieran casados, tenían una buena relación que ella disfrutaba en verdad, y dejó de presionar a Ken para que se casaran. También conoces el final de esta historia: unos meses después, Ken le propuso matrimonio, y Serena logró que por fin se cumpliera su deseo.

En nuestra relación, yo, Patty, conozco personalmente el poder a largo plazo que tiene la aceptación, porque ésta es una de las características más fuertes de Ralph y yo me he asoleado bajo su luz durante muchos años. Como resultado, me he convertido en una persona más fuerte y feliz, que acepta más a los demás, a sí misma, y tiene mayor confianza en su habilidad de poder arreglar los problemas de su vida, además de mostrarse como un ser humano más desarrollado, más satisfactorio como pareja de Ralph.

Cambiar Comportamientos que Molestan

A veces los comportamientos de tu pareja no te resultarán aceptables. Por fortuna, como hicimos notar en el Pilar 4: «Comprender la Naturaleza del Comportamiento», los comportamientos de tu pareja (lo que dice y hace) son mucho más susceptibles de cambio que sus características o actitudes.

Tu esposo entra a la casa pisando la alfombra con los zapatos aún llenos de lodo porque estuvo haciendo jardinería.

Tu esposa te critica fuertemente por no pagar a tiempo los recibos. Tu pareja gasta el dinero de éstos en boletos de lotería.

A tu pareja se le olvida tu cumpleaños: no te da un regalo ni una tarjeta ni hace celebración alguna.

Tu pareja acapara el control remoto de la televisión, por lo general para ver programas que no te interesan en lo más mínimo.

Cuando el comportamiento de nuestra pareja nos molesta, nuestra primera reacción tiende a hacerse a semejanza de la forma en que nuestros padres corregían nuestro comportamiento cuando los molestábamos a ellos: por lo general, culpando, dando órdenes y tomando actitudes moralistas. «¡Limpia eso de inmediato!», «¿Cómo pudiste ser tan descuidado(a)?», «¡No puedo creer que hayas apostado el dinero de la comida!», «¿Nunca piensas en los demás?», «¿Acaso no te importa lo que a mí me gustaría ver?». Estas tendencias están marcadas dentro de nosotros y se desencadenan muy rápido cuando nuestra pareja inesperadamente hace algo que nos molesta.

Si sucumbimos a estos viejos ecos de culpa, la respuesta de nuestra pareja por lo general será muy parecida a la que utilizaba como reacción ante este tipo de confrontación con sus padres: resistir, discutir o hacer berrinche. Ésta no es la clase de interacción diseñada para ayudar a un Matrimonio de Clase Mundial entre dos adultos. ¿Cómo podemos manejar el comportamiento que nos desagrada de una forma más saludable?

El primer paso consiste en recordar que categorizar el comportamiento de tu pareja como una actitud o una característica (falta de sensibilidad, egoísmo, descuido, falta de consideración, amoralidad, grosería), sólo lastima los sentimientos de tu pareja y provoca que se moleste y se ponga a la defensiva. Dar órdenes como un padre o una madre demasiado severa empeorará la actitud defensiva y herirá los sentimientos.

En lugar de eso, es mejor partir del conocimiento de que se está en una relación cariñosa y que tu pareja nunca te haría daño a propósito. Eso ayuda a detener tu necesidad de asignar culpas. Entonces te puedes dar cuenta de que tu pareja no sabía, o de alguna forma no pudo pensar en el efecto negativo de su comportamiento hacia ti. El remedio, por supuesto, es hablarle: compartir los efectos de su comportamiento sobre ti y confiar en que dará pasos para remediar la situación.

«¡Ay, Frank! La alfombra se está enlodando. Me temo que se va a percudir y tendremos que pagar para que nos la limpien».

«¡Ay!, siento horrible que me critiques tanto, y creo es aun peor porque ya me estaba autoregañando por tanta estupidez de mi parte. Ya de por sí me siento mal».

«Wesley, cuando gastas en otras cosas el dinero con el que contaba para comprar comida, me siento muy afectada y me entra pánico, porque no sé qué más tendremos que sacrificar para poder pagar los gastos de la semana».

«¡Que se te olvide mi cumpleaños me hace sentir insignificante y desatendida! ¡Ni siquiera puedo explicarte lo triste que me siento!»

«Cuando te posesionas del control remoto y escoges todos los programas, yo me pierdo los que me gustan y termino viendo cosas que no me interesan mucho, o me tengo que ir a otro lado para leer, y comienzo a sentirme resentida por eso».

En estas afirmaciones se utiliza Lenguaje–Yo, en lugar de Lenguaje–Tú. En otras palabras, describo lo que me sucede en lugar de hablar de las cosas que tú haces mal. Estos mensajes tienen dos cosas en común: primero, no dicen nada malo de la pareja y, segundo, le comunican con claridad lo que su comportamiento implica para ti en términos de necesidades y sentimientos. Esta combinación de no culpar, abrirse y ser vulnerable es un tipo de confrontación fresco, genuino e inesperado que a tu pareja le resultará mucho más fácil de manejar de una forma positiva. Sin necesidad de defenderse contra ataques, y al escuchar con claridad que sus acciones te han hecho daño, tu pareja se sentirá libre de arreglar estos daños en lugar de ponerse a la defensiva y con resistencias.

El esposo que hizo jardinería dirá que lo siente y se ofrecerá a limpiar el lodo; la esposa puede disculparse por ser tan crítica y reconocer lo feo que debe ser sentirse así de atacado; el jugador de lotería puede decir que lo siente y acordar no hacerlo de nuevo; el que olvida los cumpleaños puede disculparse profundamente y decirle a su esposa lo importante que es ella, además tener empatia hacia su tristeza (flores y cena fuera de casa pueden ser una opción), y el acaparatelevisiones puede negociar algún acuerdo, en que ambos ganen (ganar-ganar).

¿Demasiado bueno para ser cierto? En realidad no. La confrontación a través de la apertura personal a menudo funciona de inmediato. Pero, si esta confrontación es molesta para la pareja, es probable que funcione luego de algún tiempo: después de escuchar su molestia con empatia, puedes regresar a tu apertura personal de manera que la escuche de nuevo con menos resistencias.

¿Es esto una especie de truco? ¿Una forma disfrazada de hacer que tu pareja sienta lástima por ti? No, si te adhieres a las tres condiciones de crecimiento: genuinidad, aceptación y empatia. Sé congruente, honesto y genuino al abrir tus sentimientos. Si a tu pareja le molesta que la confronten, acepta su humanidad (a nadie le gusta que lo confronten) y siente empatia hacia su postura defensiva. Después regresa a tu congruencia, sabiendo que *cuando ambos se sientan completamente comprendidos* el problema se resolverá o se transformará.

Éstas son algunas guías para cuando confrontes a tu pareja:

- Describe con claridad y honestidad el impacto que el comportamiento de tu pareja tiene sobre ti.

- Elimina la culpa al separar mentalmente al culpable de la consecuencia. Piensa que tu pareja no es «mala», sino que tan solo escogió una manera de satisfacer sus necesidades que interfiere con una tuya.

- Respeta la integridad de tu pareja: tiene derecho a satisfacer sus necesidades y a sentirse molesto (a) con tu confrontación.

- Prepárate para ayudarle a manejar su molestia si esto ocurre.

- Confía en que le importas a tu pareja.

Vulnerabilidad

La esencia de una apertura personal congruente es la vulnerabilidad: la disposición de mostrar tus verdaderos pensamientos y sentimientos, confiando en que, a final de cuentas, tu pareja los tratará con cuidado. Se trata de dejarle saber a tu pareja lo que sucede dentro de ti, dónde estás, qué piensas, qué sientes, qué necesitas.

Paradójicamente, hacerte vulnerable es una de las posiciones más poderosas que se pueden asumir. Los animales en la naturaleza se postran y muestran la panza o el cuello (sus partes más vulnerables) ante los miembros de su especie que los atacan, sabiendo que esto reducirá en gran medida la posibilidad de que el otro animal los mate. Cuando tú te muestras por completo en una confrontación, la vulnerabilidad en sí misma genera compasión hacia ti y tus necesidades.

Recuerda abrirte cuando confrontes y recuerda que tu pareja, al verse confrontada, probablemente también se sienta vulnerable. Esto te ayudará a responder de una forma compasiva una vez que le hayas confrontado y hará mucho más fácil para los dos encontrar una manera de manejar el problema que les sea aceptable a ambos.

Una Vez Más, la Importancia de la Aceptación

Es posible que algunos de los comportamientos de tu pareja te parezcan más grandes de lo que son debido a tu irritación. Pregúntate: ¿este comportamiento es tan fuera de lugar que necesito prestarle atención? ¿O sólo estoy de mal humor este día? ¿Puedo encontrar la forma de sentirme con mayor aceptación hacia este caso?

En mi caso (Ralph), la tendencia de Patty a ser un tanto mandona todavía surge, aunque ella se da cuenta de que puede resultar irritante. A mí no me gusta, pero he llegado a verla como parte de una característica mayor que valoro y admiro: su impulso por lograr las cosas, su voluntad de vivir, jamás tomar un «no» como respuesta. Así que ahora la recibo con un *mantra* que me da aceptación. Me digo a mí mismo: «¡Así es Patty!» y sonrío. ¡Muchas veces esto me da la aceptación y el equilibrio emocional que necesito para no confrontarla!

Busca formas de aceptar la idiosincrasia de tu pareja, ésta es parte de lo que él o ella es. Si puedes aceptarla y dejar honestamente que sea como es, ambos estarán mucho mejor. Ofrecerle a tu pareja un ambiente de seguridad que aliente su crecimiento como ser humano es una importante contribución que puedes dar a la relación. Todos necesitamos recibir aceptación de parte de la persona que amamos.

Y, finalmente, manten presente la importancia de crear y aceptar la relación contigo mismo. Todos merecemos compasión y aceptación, incluyéndote a ti.

Para resumir, no podemos cambiar a quien es realmente nuestra pareja porque ella es el producto de toda su historia y, además, tiene derecho a ser él o ella misma. Por otro lado, por lo general podemos cambiar comportamientos que nos molestan por medio del compartir de una forma libre de culpas, a través de la apertura personal con vulnerabilidad unida a la compasión y la empatia. Y mientras más aprendamos a aceptar a nuestra maravillosa pareja, menos vamos a querer cambiarla. Éstas son bases importantes en el sendero hacia un Matrimonio de Clase Mundial.

El llegar a un acuerdo vale más por haber estado en desacuerdo.

Publilius Sirus

PILAR 11

Resolver Conflictos y Desacuerdos

Cuando dos personas comparten sus vidas de una forma intensa y a largo plazo, tendrán desacuerdos. Éstos pueden ir de lo trivial (qué película ver por la noche) a lo serio (cómo manejar a un hijo rebelde). La mayor parte de estos desacuerdos se resuelven a través de la buena voluntad y una comunicación clara, pero hay otros que serán más difíciles, que escalen a graves discusiones y peleas, en las que las emociones estén a flor de piel. Éstas son algunas cosas para pensar en relación con los problemas delicados.

Es normal que ocasionalmente se tengan discusiones acaloradas. Esto puede resultar vigorizante, puede ayudar a limpiar el terreno. Si esta abundancia energética es acompañada por una resolución razonable, el alivio puede incluso llevar al sexo.

Sin embargo, las peleas acaloradas y las discusiones exhaustivas no son bienvenidas si (a) uno de los miembros de la pareja siempre domina y gana, (b) ocurren con una regularidad y frecuencia predecibles y (c) si nunca se resuelven de una manera satisfactoria, o si (no se discute, se oculta) (d) van acompañadas de violencia física.

99

En este pilar se explorará la dinámica del desacuerdo y su resolución con la meta de permitir aceptar y manejar este básico aspecto de una relación íntima tanto con confianza como con éxito.

Pilares Útiles

El secreto para manejar la mayoría de los conflictos y desacuerdos (para prevenirlos, diluirlos, o resolverlos rápidamente) está en el uso consciente del conocimiento y las herramientas que ya tienes a partir de los pilares previos. Esto incluye evitar la culpa (Pilar 2), olvidar unas por otras (Pilar 6), el sarcasmo y la ironía (habla irónica, Pilar 7), reconocer y manejar los miedos ocultos que hacen a algunos temas extremadamente explosivos (temas espinosos, Pilar 8) y, lo primordial, las herramientas de comunicación, el escuchar de una manera reflexiva y la apertura personal con vulnerabilidad descrita en los pilares 5 y 10. Todo esto recalca, a su manera, la genuinidad, la empatia, y la aceptación: cualidades fundamentales para resolver las diferencias y alentar el crecimiento. A medida que crecen tu comprensión y tu habilidad para utilizar estas sutiles pero poderosas ideas y herramientas, menos y menos desacuerdos llegarán al grado del conflicto.

Veamos cómo pueden aplicarse estos conceptos. Supongamos que Janet utiliza la computadora para investigar sobre un proyecto durante la tarde, cuando Ted quiere conectarse para leer y contestar su correo electrónico.

Podrían culparse mutuamente: «Siempre estás en esa maldita máquina justo cuando yo quiero usarla». «¿Ah, sí? ¿Por qué no se te ocurrió utilizarla cuando recién llegaste a casa?»

O él podría usar unas por otras: «Te dejé usarla anoche, ¡ahora es mi turno!»

O ella podría expresar su enojo detrás de habla irónica sarcástica: «¿Crees que tu estúpido correo es importante? ¡No me digas!»

Es fácil ver cómo estas comunes estrategias tienden a aumentar las posibilidades de que haya un problema. En contraste, para Ted y Janet será mucho más fácil arreglar las cosas optando por la apertura personal y la empatia.

Janet: «Escuché que quieres utilizar la computadora en este momento, pero mi fecha de entrega para el proyecto que estoy haciendo está muy cerca y tengo terror de no acabar si no finalizo la búsqueda esta noche».

Ted: «¡Ups! No me di cuenta de que estuvieras bajo tanta presión. Voy a acabar el libro que estoy leyendo mientras tú trabajas: leeré mi correo antes de que vayamos a acostarnos».

Evitar la provocación innecesaria y utilizar una buena comunicación para comprender y aceptar las necesidades y sentimientos del otro resolverá la gran mayoría de los desacuerdos cotidianos.

El Manejo del Conflicto

Ocasionalmente, sin embargo, no parece factible ningún arreglo, y cada miembro de la pareja siente que sus intereses le son tan importantes a un nivel personal que las opciones obvias para satisfacer esas necesidades parecen irreconciliables. Éstos son los desacuerdos más fuertes. A continuación algunos ejemplos.

Sally quiere arreglar el patio trasero, colocar un techo que dé sombra, hacer senderos y sembrar un verdadero jardín. A Jason le gusta el patio trasero como está y le molesta la idea de gastar dinero en su remodelación.

Peg quiere que su hijo disfrute de la experiencia de ir a un campamento de verano. Dan tiene la convicción de que sería mucho mejor para el muchacho asistir al programa de natación en la alberca local y seguir trabajando como repartidor de periódicos.

Gary siente pasión por ir de pesca los sábados por la mañana. Pat tiene muchas ganas de hacer algo en pareja durante los sábados, pero odia ir de pesca.

Cuando los desacuerdos son fuertes y los sentimientos se encuentran a flor de piel, es esencial para un Matrimonio de Clase Mundial que ambos miembros de la pareja compartan el compromiso de encontrar soluciones que satisfagan a ambos, y que tengan a su disposición un método práctico para llegar a esto, además de que manejen el enojo y la molestia que, por lo general, acompañan a un conflicto.

Sin este método, a menudo los conflictos se abordan de manera tal que se sirve a los intereses de uno de los miembros de la pareja y los del otro se pierden, ya sea a causa de que el ganador haya logrado dominar o de que el perdedor se haya rendido con tal de mantener la paz. De cualquiera de estas maneras el perdedor queda con resentimiento y el ganador se siente culpable, e inevitablemente esto trae como resultado que se dañen los buenos sentimientos que los miembros de la pareja tienen entre sí.

Si en lugar de eso el conflicto se resuelve pasando de la argumentación sobre las posiciones iniciales a un proceso en el que se descubran opciones creativas que *satisfagan las necesidades de ambos miembros* de la pareja, entonces pueden lograrse muchos beneficios. Primero, ambos se sienten satisfechos y queridos, en lugar de resentidos o culpables. Segundo, ambos compañeros aceptan la solución y cooperan voluntariamente. Tercero, al haber transformado una situación potencialmente hiriente en un triunfo compartido, los miembros de la pareja obtienen un sentimiento de logro y trabajo en equipo exitoso, así como una mayor cercanía. Y, finalmente, este proceso a menudo produce una creatividad sorprendente que tendrá emocionantes aplicaciones en otros aspectos de sus vidas.

Hace muchos años, Ralph y yo tuvimos un conflicto sobre unas vacaciones. Nuestras posiciones iniciales eran que yo quería ir de vacaciones y él no. Al escarbar por debajo de esas posturas opuestas, encontramos que yo necesitaba un cambio de ritmo y algo de diversión. Y Ralph también lo quería pero tenía una fuerte necesidad de no gastar el dinero que costaría tomar unas vacaciones. Una vez que identificamos esas necesidades, nos dedicamos a encontrar una solución, o varias soluciones, que pudieran satisfacer las mías de «cambio» y «diversión» y no entraran en conflicto con la necesidad de Ralph de no gastar demasiado dinero.

La solución que acordamos fue tomarnos unas vacaciones en nuestra propia casa. Hicimos las maletas y salimos del dormitorio a las 6:00 p.m., para «mudarnos» al cuarto de huéspedes durante una semana. Comíamos el desayuno en casa a diario y la mayoría de las demás comidas en restaurantes. Comíamos el desayuno en platos distintos a los que acostumbramos y nos sentábamos en la mesa de la sala, no en el comedor. No se permitía realizar trabajo alguno después de las 10:00 A.M., después de lo cual nos dedicábamos a hacer turismo en nuestra propia ciudad, disfrutando a diario de una atracción local diferente. Durante esa semana nunca abrimos la puerta del dormitorio, para disfrutar a cambio de lo nuevo que era estar juntos en el cuarto de invitados. Y como no hubo que pagar aviones ni hoteles, fueron unas maravillosas vacaciones económicas que aún nos traen buenos recuerdos.

Nuestra habilidad para encontrarle una solución a este problema fue vivificante. En lugar de sentirnos frustrados y resentidos, esta solución a nuestro conflicto nos trajo gozo y una mayor cercanía.

Métodos de Negociación

Llegamos a este acuerdo siguiendo un método muy claro de solución de conflictos desarrollado por el doctor Thomas Gordon en sus libros y cursos *P.E.T.* y *L.E.T.* (ver bibliografía). Su método se basa en el trabajo del educador estadounidense John Dewey, con su pragmática fórmula de seis pasos para resolver cualquier problema. Los pasos de Dewey eran: 1) Definir el problema; 2) Generar todas las soluciones posibles; 3) Evaluar las soluciones generadas; 4) Seleccionar las más prometedoras; 5) Poner en práctica una solución o varias soluciones, y 6) Dar seguimiento para corroborar que funcionen la solución o las soluciones puestas en práctica. Gordon modificó la fórmula para aplicarla a los conflictos dándole al primer paso el nombre de «generar soluciones que satisfagan las necesidades de ambos».

Junto con las habilidades comunicativas necesarias para manejar los sentimientos de molestia de ambos lados, esta reformulación produjo una poderosa y efectiva forma de manejar conflictos, la que usamos para nuestra ventaja cuando las vacaciones se convirtieron en un tema difícil.

Roger Fisher y William Ury, en su libro *Obtenga el Sí* (ver bibliografía), crearon otro poderoso conjunto de herramientas para el manejo de conflictos. Los autores identificaron dos obstáculos principales para la negociación exitosa: que los participantes vean sus posiciones originales como las únicas soluciones, y que los participantes tengan la idea de que la única pieza de negociación posible sea ceder en partes fracciónales de estas posiciones.

Por ejemplo, el vendedor dice: «El precio es de 50 dólares» y el turista dice: «Te daré 10». Éstas son sus posiciones. El vendedor cede bajando su precio y el turista cede aumentando su oferta, y quizá se encuentren a mitad del camino y hagan un trato. O quizá esto no suceda. Dentro de este escenario, no hay ninguna solución posible excepto la de la avenencia, donde ambos partidos pierden un poco.

Si nos hubiéramos aferrado a nuestras posiciones, yo (Ralph) podría haber cedido (poco a poco) en cuanto a la cantidad de dinero que estaba dispuesto a gastar, mientras que Patty hubiera cedido (poco a poco) en cuanto a la calidad del sitio al que podríamos ir y el tiempo de estancia. Quizá hubiéramos tenido unas vacaciones y quizá no. Y ninguno de los dos hubiera estado satisfecho en verdad. Pero una vez que renunciamos a nuestras posiciones y nos centramos en nuestros intereses reales, cambió todo el clima de negociación y encontramos una solución elegante e inesperada.

Fisher y Ury nos dicen cómo ir más allá de las posiciones iniciales y también escriben en detalle sobre la manera de lidiar efectivamente con las emociones y las percepciones erróneas del otro (así como con las propias), cómo descubrir los verdaderos intereses y necesidades detrás de las posiciones, cómo aumentar el tamaño del pastel en lugar de cortarlo por la mitad y, por supuesto, ¡cómo llegar al SÍ!

Estos tres libros, *P.E.T.*, *L.E.T.* y *Obtenga el Sí* ofrecen métodos claros y detallados no sólo para resolver temas difíciles, sino que también se pueden utilizar como oportunidades para profundizar y fortalecer creativamente las relaciones a través del gozo y la emoción del resolver juntos problemas complejos y demandantes. Te animamos a que empieces con tu propio manejo de conflictos utilizando estos recursos.

Parejas Sin Conflictos

Algunas parejas dicen que no pelean nunca, aunque suena maravilloso, puede ser un signo de peligro, ya que las parejas que nunca tienen desacuerdos tienen mayores probabilidades de llegar al divorcio que las parejas que sí los tienen. La razón es que los desacuerdos en una relación íntima son inevitables, y si una pareja no los tiene, lo más probable es que una de las partes, o ambas, renuncia ante la menor indicación de desacuerdo en aras de mantener la paz. Esto por lo general significa la acumulación de una inacabable serie de necesidades, pequeñas o grandes, insatisfechas por parte de uno o ambos miembros de la pareja, con el consiguiente resentimiento secreto provocado por estas pérdidas, que aumenta por debajo de una satisfacción falsa. Este resentimiento al final forma una amarga (aunque silenciosa) barrera entre los dos, y con el tiempo, la cercanía y el cariño se quiebran. Entonces entra en juego la desilusión y el escenario del divorcio se encuentra preparado. Consideremos el caso de Edward y Madelyn:

> Madelyn nunca confrontó a Edward acerca de nada. Edward trabajaba muchas noches hasta tarde y ella nunca se quejó. Ella había dejado que él seleccionara dónde vivirían, qué autos tendrían, quienes serían sus amigos, a dónde irían de vacaciones. Ella cedía en cada discusión, grande o pequeña. Hacía todo lo que pensaba que debía hacer una buena esposa. Sus amigos recalcaban que parecían ser la pareja perfecta. Nunca se hablaban con molestia. Un día, sin aviso, Madelyn empacó sus cosas, se mudó y al poco tiempo pidió el divorcio. Escribió una nota diciendo que «había tenido suficiente» y nunca volvió a hablar con Edward.

Si nunca «hablas con molestia», quizá necesites reexaminar tus prácticas de manejo de conflictos para asegurar que uno de los dos no esté acumulando resentimiento en un saco que al final se llenará y terminará explotando como el proverbial monte Vesubio.

Reconocer y Ayudar a Alguien que se Sacrifica

Hay personas que, simplemente, le tienen fobia a las peleas. Son susceptibles de utilizar un estilo de resolución de conflictos altamente permisivo, en el que sus propias necesidades se ven sacrificadas, como hacía Madelyn. Además de erosionar las relaciones a través de la acumulación de resentimiento, estas personas tienen dificultades para satisfacer sus necesidades en cualquier conflicto. La mayoría de nosotros preferiría no pelear, especialmente con nuestra pareja, pero hay gente que a un nivel muy profundo no puede, o no quiere, tolerar cualquier conflicto.

Si ése es tu caso, es probable que tu fobia a las peleas derive de un patrón consistente de derrotas en conflictos previos, ya fuera cuando niño con tus padres u otros adultos, o más recientemente en tu relación marital. Es importante identificar si tu tendencia a evitar conflictos viene de experiencias infantiles previas o de tu relación actual.

Si reconoces que el problema viene de tu infancia, es importante que estés consciente de ello para que puedas aceptar que tu miedo a luchar por tus necesidades cuando entras en conflicto con tu pareja se debe a miedos del pasado, no a peligros actuales. Esto te ayudará a relacionarte con tu pareja de una forma más realista.

De ser ese el caso, hazle saber a tu pareja de tu reconocimiento del problema y pídele que te ayude de cualquier manera posible para que puedas comunicar tus necesidades cuando ocurran conflictos. Con este tipo de apoyo, y aprendiendo de un proceso confiable para resolver diferencias, como los métodos Gordon o Fisher–Ury, Al final podrás hacer valer mejor tus necesidades.

Si en el pasado has tenido malas experiencias con una pareja que no se ha mostrado dispuesta a trabajar contigo para encontrar soluciones mutuamente aceptables a los conflictos, si siempre ha insistido en salirse con la suya, entonces es importante que encuentres el valor necesario para confrontarle y comunicarle tus necesidades y sentimientos en esta área. Necesitarás decir algo como esto:

> *Me doy cuenta de que en el pasado ha habido momentos en los que tú me has impuesto tus soluciones y yo lo he permitido. Pero no voy a dejar que esto suceda de nuevo. Quiero que manejemos nuestros con–flictos en una forma distinta, de manera que ambos satisfagamos nuestras necesidades. ¿Quieres hacer este cambio conmigo?*

Si tienen una relación esencialmente amorosa, es probable que tu pareja se abrirá finalmente al cambio, aunque necesitas saber que si siempre ha ganado a la hora de los desacuerdos, la demanda de este cambio no será una buena noticia. Así que puedes esperar respuestas defensivas como: «Nunca he sido injusto, o injusta, contigo». Intenta escuchar a tu pareja con empatia para ayudarle a manejar esos sentimientos defensivos (por ejemplo, diciendo algo como: «Sé que te impresiona saber que yo considero que pierdo mucho ante ti»).

Una vez que hayas comprendido y retroalimentado los sentimientos de tu pareja, comunica tu mensaje nuevamente, después de lo cual quizá sea necesario que escuches a tu pareja una vez más, y así sucesivamente hasta que tu compañero o compañera se sienta con la suficiente confianza para resolver un tema tan importante. Gradualmente, tú y tu pareja llegarán a un entendimiento compartido para encontrar soluciones mutuamente aceptables a sus conflictos y habrán sentado las bases para una relación en la que ambos ganen. Entonces podrán trabajar en mejorar sus habilidades para la solución de conflictos de manera que manejen exitosamente sus conflictos futuros.

Si después de confrontar limpia y abiertamente a tu pareja, haciendo tu mejor esfuerzo al manejar sus reacciones defensivas, él o ella se rehusa a comprometerse dentro de un proceso de este tipo para resolver futuros conflictos, puede ser que te enfrentes a una realidad difícil. Una pareja que no está dispuesta a ver que la satisfacción de tus propias necesidades es tan importante como la satisfacción de las suyas, en verdad no te ofrece demasiado. Si hay voluntad de cambio, un terapeuta puede ser capaz de ayudar a tu pareja para que lidie con las dificultades subyacentes a su falta de capacidad para respetar tu derecho a satisfacer tus necesidades. Si tu pareja no está dispuesta a comprometerse con un proceso de cambio personal de esta naturaleza, puede que tengas que reevaluar la relación. Esto puede ser difícil de afrontar, pero todo ser humano merece que sus necesidades se vean satisfechas, y eso te incluye.

La Importancia del Conflicto

La forma en que tú y tu pareja resuelven conflictos es un fuerte elemento para predecir el nivel de satisfacción dentro de tu relación. Los buenos tiempos son maravillosos y es importante invertir en ellos y alimentar conexiones positivas mutuas. Pero los conflictos van a ocurrir, y si su forma de manejarlos es ignorarlos constantemente o ceder para mantener la paz, el desagradable sentimiento resultante puede minar mucho de lo bueno que hay entre ustedes. Por otro lado, como los conflictos son tan poderosos emocionalmente, la experiencia de trabajar juntos para encontrarles soluciones satisfactorias, especialmente cuando se triunfa ahí donde parecía imposible, estimula fabulosos sentimientos de orgullo, cariño y confianza.

Así que los conflictos y desacuerdos se deben tomar como las maravillosas oportunidades que representan. Los Matrimonios de Clase Mundial se benefician particularmente por medio de una resolución de conflictos valiente y amorosa, así como con un manejo sensible de las disputas. Comprométanse juntos para encontrar soluciones ganar–ganar para

Existen derrotas más triunfantes que las victorias.

Michel De Montaigne

PILAR **12**

Saber Cuándo Rendirse

Dentro del transcurso de la relación habrá un pequeño número de comportamientos, valores o características de tu pareja que ninguna confrontación, resolución de problemas, u otras opciones, resolverán. Puede tratarse de temas pequeños o grandes pero, más allá de su importancia, éstos pueden ser fuente de grandes dolores entre los dos.

Es posible que tu pareja pase incontables horas navegando en la Internet, puede usar demasiado maquillaje para tu gusto, o gastar demasiado dinero en un pasatiempo caro, y nada de lo escrito en el libro parecerá traer un cambio por parte de tu pareja, o aceptación por la tuya.

En ese caso tienes tres opciones: continuar molestándole para que cambie, convertirte en mártir silencioso o silenciosa (pero de mal humor), o rendirte ante la realidad de quien es tu pareja. Si has tenido valor y utilizado las habilidades necesarias en tus intentos por lograr un cambio y tu pareja amorosa no ha podido acomodarse a tus expectativas, entonces la mejor opción es la tercera.

Paul llegó a casa al regreso de un viaje a Suecia con un enorme candelabro con forma de barco vikingo que que-

111

ría colgar en la sala, sobre la mesa del café. Cuando Kate lo vio quedó impactada y no pudo imaginar la razón por la cual Paul lo había comprado. No quería esa enorme escultura negra de hierro en ningún sitio de la casa, mucho menos colgada en la sala. Todos sus sinceros intentos por resolver el conflicto terminaron en tablas, con Paul aferrado a colocar su hallazgo en un lugar prominente. Unos cuantos días después de su último intento, Kate se dio cuenta repentinamente de cuánto le importaba a Paul hacer ostentación de su trofeo, y sus objeciones se derritieron. Ella se rindió de corazón, y ahora el candelabro se ha convertido en un objeto afectivo para ambos: para Kate, porque representa el hallazgo de algo que le era importante a su querido esposo, y para Paul, porque representa la amorosa aceptación de Kate al rendirse ante su gran cariño hacia este inusual candelabro.

En el Pilar 9 describimos otro ejemplo de un rendimiento exitoso, cuando Patty se rindió ante mi fuerte necesidad de sentirme bien cuidado al cocinar la cena en casa para ambos cada noche. Cuando se dio cuenta de lo significativo que esto era para mí, ella rindió su imagen propia de profesional que casi nunca cocina y me dio lo que yo necesitaba. No sólo se convirtió en una mucho mejor cocinera, sino que al paso de los años yo he llegado a disfrutar el cocinar alguna cena sencilla de vez en cuando, y me encargo regularmente de la limpieza diurna de la cocina. Su generosa rendición sin sacrificios nos ha unido de muchas maneras.

El concepto de rendirse se aplica a casos especiales, poco frecuentes, en los que no parece posible ninguna otra solución, y en los que el que se rinde puede sentir genuinamente la compasión y empatia necesarias para rendirse sin sacrificios. El concepto de rendirse no es excusa para la permisividad, la pasividad, o las fallas al tomar responsabilidad de la satisfacción de las necesidades haciéndolas valer de una forma apropiada.

Rendirse significa llegar a un arreglo con una necesidad profunda o una característica fundamental de tu pareja que resultaría fútil o demasiado costoso cambiar, así como transformarte interiormente para que dejes de desear que tu pareja sea diferente. Podrías hacer esto leyendo o haciendo investigaciones para expandir tu comprensión y conciencia; podrías hacerlo a través de la. meditación o la oración; podrías hacerlo hablando con una amistad, algún familiar o un terapeuta; podrías hacerlo a través de la experimentación, «probando» el comportamiento de tu pareja para ver si de esa manera puedes aceptarlo mejor; podrías hacerlo simplemente teniendo la intención de rendirte.

Como sea que puedas rendirte, hacerlo es mágico. Te libera de la tensión y la frustración, libera a tu pareja de la desaprobación y los intentos de cambio, los cubre a ambos de comprensión, aceptación, y cercanía. Si se le escoge con cuidado, el Rendirse es un ingrediente especial pero importante dentro de un Matrimonio de Clase Mundial.

La Falsa Aceptación

Una advertencia: cuidado con la falsa aceptación, es decir, pretender que el comportamiento de tu pareja está bien contigo para así mantener la paz o parecer flexible, aunque interiormente sigues sintiendo molestia al respecto. Eso no es rendirse y puede tener peligrosas repercusiones. Además de la tensión que una falsa rendición te provocará, tendrá también un sutil efecto de distanciamiento en la relación, provocado por tu necesidad de cubrir la disparidad entre tu verdadero yo y la imagen que has creado. Recuerda que la honestidad y la congruencia son componentes esenciales para el crecimiento de una relación, tanto en tu interior como hacia tu pareja, pues para que la aceptación sea real y funcione tiene que ser genuina.

Si la automodificación y la rendición son reales y se basan en nuevos puntos de vista y comprensiones, se da un resultado paradójico: las diferencias en los valores, creencias o maneras de hacer cosas que al principio parecían irreconciliables, pueden ser la fuente de una cercanía intensa y muy satisfactoria, conocerás el placer de aceptar el hecho de que el comportamiento de tu pareja es un aspecto único, gracioso, raro, interesante y distintivo de una persona maravillosa que es diferente a ti (¡le gustan los candelabros vikingos!).

Podría sorprenderte el darte cuenta de cómo puedes aceptar verdaderamente alguna particularidad de tu pareja con la que antes tenías problemas. Encontrar una manera de aceptar a tu pareja y algún valor idiosincrático particular suyo, puede ser una poderosa afirmación de que tu pareja tiene validez e integridad siendo como es. Puede ser un importante regalo para la relación. Todos tenemos derecho a tener ciertas particularidades que no se vean perfeccionadas por los esfuerzos de cambio de nuestra pareja.

Sorprendentemente, después de rendirte, ¡quizá incluso descubras que no hay nada más adorable que ver a tu pareja seguir con el comportamiento que una vez deseaste tanto que cambiara! Esto es uno de los gozos de un Matrimonio de Clase Mundial. Y no hay regalo más delicioso que el que tu pareja te acepte tal como eres.

Un amigo nos contó recientemente sobre una fiesta que hubo con motivo de un aniversario de veinticinco años de matrimonio. El esposo hizo un brindis y dijo: «La clave de nuestro éxito es muy simple. A los diez minutos de cada pelea, uno de los dos dice: Perdóname, Sally».

Cokie y Steve Roberts

Pilar 13

Ofrecer Disculpas y Perdonar

Ofrecer Disculpas

Las disculpas son mágicas, tienen el poder de borrar los problemas y convertirlos en un asunto de perdón y cercanía.

Sin importar cuánto intentes complacer a tu pareja y satisfacer sus necesidades, es *inevitable* que en algún momento digas o hagas algo que la lastime.

Incluso cuando se han lastimado muchos sentimientos, nunca es demasiado tarde para retroceder y limpiarlos. Esto lo puedes hacer reconociendo ante tu pareja que sabes que tu comportamiento fue hiriente y aceptando que lamentas sinceramente haber causado ese dolor. Las palabras *no son suficientes por sí solas*, debes sentir remordimiento y comunicarlo por completo. Hazle saber a tu pareja que en verdad lamentas tus actos, hazlo genuinamente.

Difícil como puede ser, es importante que reconozcas si te equivocaste o hiciste algo erróneo. Negar tu culpabilidad

115

puede hacer que tu pareja sienta frustración e incluso que pierda la cordura. Evita contaminar tu disculpa con una *justificación* sobre por qué hiciste lo que hiciste, admite tu error y expresa remordimiento, no busques una oportunidad de parecer libre de culpa. Nada ayuda tanto al éxito de una disculpa que un sincero «me equivoqué», por más difícil que resulte admitirlo. Si te disculpas sinceramente, de corazón, es probable que tu pareja tenga disposición para perdonarte.

Si tu pareja no te puede perdonar de inmediato, dale la oportunidad de que trabaje con sus sentimientos de enojo o dolor. A veces toma tiempo para que estas emociones desaparezcan, incluso si has pedido amplias disculpas. En esos momentos, ábrete para escuchar con empatia.

Recuerda que todas las emociones son transitorias, incluso éstas. Las emociones vienen y van; si escuchas, aceptas y reconoces la respuesta de tu pareja ante tu mea culpa, su sentimiento de dolor puede perder sustento emocional y desaparecer. Al pasar esto, probablemente también se aceptará un nuevo mensaje de disculpa.

Los pasos clave al pedir disculpas son:

1. Admitir ante uno mismo o una misma que nuestro comportamiento ha herido a nuestra pareja.

2. Reconocer, de ser cierto, que se estaba en un error, o que se ha actuado mal de alguna forma.

3. Reconocer esto ante la pareja, expresando un remordimiento genuino.

4. Escuchar y reconocer cualquier dolor adicional al respecto expresado por tu pareja.

5. Decir una vez más que sientes haber hecho eso que fue tan hiriente para la pareja y reconocer por completo cualquier culpabilidad que se pueda cargar.

6. Recordar que la pareja puede o no perdonarnos de inmediato.

7. Recordar que se es una persona valiosa, incluso si la pareja es incapaz de perdonarnos.

Algunas personas crecieron en familias en las que los padres jamás se disculpaban con los niños por ninguna de las cosas que hacían. En estas familias, en las que el pedir disculpas no se inculca, el niño aprende a defender su comportamiento, a cubrirlo, justificarlo o pretender que no fue tan malo. Cuando se convierten en adultos puede ser para ellos muy difícil disculparse. Si éste es el caso de tu pareja, hazle las cosas tan fáciles como te sea posible cuando sea su turno de pedir perdón. Si es tu caso, recuerda que todos cometemos errores, incluso tú. Haber cometido una equivocación o haber lastimado a tu pareja, no te convierte en un ser humano sin valor alguno. Trabaja en tu aceptación propia, así como en desarrollar la fuerza para reconocer tus errores; esto es un ingrediente importante dentro de un Matrimonio de Clase Mundial.

El Perdón

El perdón es el alter ego de la disculpa. Todo matrimonio tiene que lidiar con palabras o acciones dolorosas, grandes o pequeñas. Después de que suceden, ambos miembros de la pareja necesitan dedicarse a reparar la relación. El que haya transgredido necesita reconocer su comportamiento ofensivo y disculparse; pero después de recibir la disculpa, aquella persona que ha sido herida debe moverse hacia el perdón.

El poeta dijo: «perdonar es divino». Desde nuestro punto de vista, la divinidad tiene que ver con el hecho de que con el perdón la relación experimenta un bálsamo vivificante que vuelve a encender sentimientos de cercanía. Bajo algunas circunstancias, la falta de perdón misma puede causar que la relación sufra gravemente. Cuando uno de los miembros de la pareja rehusa perdonar al otro, por cualquier razón que sea, la distancia provocada por la transgresión no sana, y la relación queda lastimada.

La falta de voluntad de perdonar puede derivarse de diferentes fuentes. En ocasiones, un miembro de la pareja rehusa perdonar al otro como una forma de mantener un dominio o ventaja, o para castigarle por sus palabras o acciones dolorosas. O le niega el perdón porque la herida se siente demasiado grande para perdonar. Pero es importante reconocer que, sin importar la razón, si no se perdona al ofensor (después de una disculpa completa y sincera), entonces es la parte herida la que causa que la relación siga en el limbo. Puede haber momentos y circunstancias en los que esto sea apropiado, pero por lo general no lo es. Dentro de una relación amorosa, la mayoría de los dolores no valen el amenazar de nuevo la relación. Por tanto, es importante desarrollar la capacidad de perdonar, para que el daño se cure y la relación pueda seguir.

Resentimiento

Quizá la barrera más común al perdonar a la pareja es lo atractivo que resulta mantenerse enojado como una forma de castigo por lo mal que te hicieron sentir, o para asegurar que nunca te lo hagan de nuevo. El resentimiento y el enfurruñamiento se usan tan a menudo porque, de una manera perversa, se sienten muy bien. «¡Le mostraré cuánto me lastimó!», nos decimos. Pero, por más atractivo que pueda parecer, el quedarse en el enojo es simplemente una forma destructiva de manipular a tu pareja, y debe ser reconocido como tal, además de que tiende a recibir su justa recompensa. Mi experiencia (Ralph), como un antiguo devoto del resentimiento, es que mientras yo disfrutaba actuando con amabilidad pero distanciado (una técnica mía bien perfeccionada), el arrepentimiento de Patty, que había sido bienvenido, pronto se convertía en enojo ante mi frialdad continua. Entonces la ventana hacia la oportunidad de recuperar la cercanía se cerraba, ¡hasta que yo terminaba teniendo que disculparme por enfurruñarme! Personalmente, recomiendo encarecidamente el perdón por sobre el enfurruñamiento.

Dejando de lado mis malos humores, cuando es difícil aceptar las disculpas de tu pareja, es muy útil colocar la transgresión en perspectiva. Intenta examinar esto objetivamente. En las relaciones maritales, probablemente las causas más frecuentes de dolor sean palabras: el sentirse criticado, el sentir que nos están dando órdenes, la testarudez o los arranques de cólera al calor de una discusión. Muchas veces las palabras de tu compañero no buscan herir, sino sólo evitar la pérdida de control sobre una situación o ganar una discusión, y se sueltan sin pensar en ellas. Después de responder a la disculpa de tu pareja expresándole de una forma genuina el dolor que aún sientes, haz lo mejor posible por escuchar su disculpa y lucha por tener la suficiente empatía para comprender la necesidad humana detrás de las palabras dolorosas de tu pareja. Esta compasión puede ablandar tu dolor y ayudarte a perdonar.

Conexiones con el Pasado

Otra posible fuente de empatía como ayuda para el perdón se encuentra al reconocer las situaciones en las que el enojo o el criticismo de tu pareja parecen salirse de proporción con respecto a las circunstancias y no ser compatibles con los sentimientos profundos que sabes siente hacia ti. En esos momentos, las palabras acaloradas pueden derivar de una velada similitud entre lo que sucede en el presente y alguna situación dolorosa de tu pareja en el pasado. En estos momentos, el componente más profundo del enojo de tu pareja tiene muy poco que ver contigo y con la relación de ustedes. Es sólo que la situación se parece a una anterior, encerrada en los recovecos de la mente de tu pareja, y el estallido emocional de tu compañero o compañera lleva consigo los resabios emotivos de la situación anterior, a menudo una experiencia infantil relacionada con alguno de los padres u otra figura de autoridad. A esto a veces se le llama «suceso con antecedentes» y a menudo resulta responsable de que sucedan conexiones que provocan la erupción de una intensidad emocional no justificada por una situación actual.

Una consecuencia indirecta de la relación marital es el hecho de que la profundidad emotiva entre los miembros de la pareja es tan grande que se conecta con la de figuras paternas de nuestro pasado, con quienes muchos de nosotros tenemos problemas emocionales no resueltos. Es importante reconocer esta similitud en su relación, ya que les ayudará a ver por qué tú o tu pareja dicen o hacen cosas que de otra forma parecen impropiadas ante la realidad actual de su relación, por lo demás, amorosa.

Cuando reconoces que el enojo o las críticas por las que se disculpa tu pareja pueden haber sido una reacción desproporcionada de este tipo, el sendero hacia el perdón puede ser el discutir la posibilidad con tu pareja. Dile que el arrebato te pareció tan fuera de lugar y que te está costando tanto trabajo aceptar su disculpa, que sospechas que éste fue causado por un profundo eco emocional de su pasado, y pregúntale si tendría la disposición de considerar esa posibilidad. Luego escucha reflexivamente con empatia la respuesta que te dé. Puede que te enteres de cómo la situación actual de alguna manera hizo conexión con dolorosas emociones del pasado. Esto te puede ayudar a desarrollar compasión y perdón ante la transgresión. También puede ser que aprendas mucho sobre las partes tiernas y vulnerables de tu pareja, desarrollando así una mayor intimidad.

Recuerda: cuando el comportamiento de tu pareja es más escandaloso, potente y doloroso de lo que parece justificado, puede ser signo de una carga emocional del pasado que se le ha agregado a la situación actual. Saber esto puede lograr que *tú* no lleves la situación fuera de proporción y te ayudará a obtener la capacidad necesaria para ofrecer el bálsamo sanador del perdón.

Hay otro aspecto relacionado con la dificultad de perdonar que se relaciona con una conexión hacia el pasado. Puedes ser *tú* el que pase por esto. Puede ser que las palabras o acciones de tu pareja no sean tan imperdonables como parecían ser, sino que te lo parecieran debido a que eran similares a críticas dolorosas o estallidos de rabia que soportaste en la infancia cuando eras más vulnerable y dependiente de lo que eres ahora como adulto.

La continua falta de capacidad para perdonar, después de que se ha recibido una disculpa de corazón, puede ser una guía para buscar un dolor pasado, lo que tal vez traería como resultado que lograras poner las transgresiones de tu pareja en perspectiva y encontrar finalmente el camino hacia el perdón.

El Papel de la Terapia

Todos experimentamos problemas durante la infancia, ya sean vivencias con padres, maestros, amigos, o simplemente las adversidades generales de la vida, y la mayor parte de la gente tiene cicatrices derivadas de esas experiencias. El principal trabajo durante la infancia consiste en aprender un conjunto sumamente complejo de habilidades necesarias para la supervivencia, y un infortunado producto derivado de este extenso proceso de aprendizaje, a menudo, es que terminamos sintiéndonos inadecuados o no amados. Los padres, los maestros u otros, durante nuestra infancia, en un genuino intento por ayudarnos, dicen o hacen cosas que inadvertidamente nos lastiman. Aun más insidioso es el hecho de que nuestras experiencias infantiles se procesan a través del cerebro de un niño de tres, cinco o siete años (tú), el cual no es el aparato procesador más sofisticado jamás creado. Como resultado, cada uno de nosotros malinterpreta inevitablemente muchas situaciones debido a que nuestro cerebro infantil no era capaz de percepciones o interpretaciones sutiles. De estas situaciones salimos sintiéndonos vagamente (y quizá fuertemente) estúpidos, no amados, indeseados, inaceptados e incapaces de ser amados en el futuro.

En muchos casos, un cerebro más desarrollado y refinado habría realizado inferencias muy diferentes. Sin embargo, para cada uno de nosotros, la realidad siempre es así cuando tenemos cuatro años de edad: tenemos el cerebro de un niño de cuatro años y eso limita nuestra habilidad de hacer las inferencias apropiadas de cada situación. Aunado a esto está el hecho de que las interpretaciones personales que hacemos de nuestras experiencias infantiles marcan profundamente nuestra psique y de alguna manera conllevan el sentimiento de que son «la realidad». Estas experiencias pueden dar miedo, pueden lastimar gravemente nuestra autoestima y pueden resultar extremadamente dolorosas. Aun más, pueden hacer que nos sea difícil (en ocasiones imposible) experimentar satisfacción en nuestras relaciones adultas.

Uno de los trabajos de la edad adulta consiste en lidiar con esas cicatrices: procesar el dolor, reinterpretar las situaciones del pasado, perdonar al otro, perdonarnos a nosotros mismos, aprender de nuestros errores y, de alguna manera, dejar que el pasado se vaya para estar vivos en el presente.

Este es un proceso constante. La mayoría de nosotros carga con problemas no resueltos (conexiones) del pasado que le provocan un dolor mayor en el presente, y siempre resultará una inversión valiosa el trabajar en resolver estos dolorosos problemas. Mucho de este trabajo lo puede realizar uno mismo, especialmente si se tiene mucha capacidad de reflexión, una amistad o pareja que lo faciliten. El libro de Harold Bloomfield, *Making Peace With Your Past* (Encuentra la paz con tu pasado), es un valioso e inspirador recurso para ayudarte a realizar este trabajo por ti mismo.

Este es tradicionalmente el papel de la terapia, y esta puede ser una inversión que valga la pena para aumentar tu libertad personal y el bienestar de tu matrimonio. La terapia no es asequible para todos, y por lo general resulta costosa. Dependiendo de las habilidades del terapeuta y de tu propia disposición a enfrentar temas difíciles, los resultados pueden variar ampliamente. Cuando todos los factores son favorables, puede convertirse en la mejor inversión que puedas hacer.

La decisión de si la terapia es para ti depende del tipo y la extensión de tus problemas, de tu disposición para trabajar en ellos, de que tengas acceso a ayuda profesional capacitada, y de los recursos financieros que dispongas.

Éstos son algunos criterios de evaluación para considerar entrar en terapia:

Lo que estás buscando en tu interior es la capacidad de responder abiertamente ante la vida (y especialmente ante tu pareja) sin verte atrapado (a) o limitado (a) por las fuertes corrientes del pasado.

- Quieres poder experimentar a tu pareja como la persona única que es, sin que haya distorsión, confusión o contaminación por experiencias con figuras paternas.

- Quieres poder escoger a tu pareja como alguien que apoya tu crecimiento como individuo.

- Quieres poder ser responsable, digno(a) de confianza, sensible, cariñoso(a), dispuesto(a) a perdonar.

- Quieres poder crear y experimentar la intimidad: tanto sexual como emocional.

- Quieres poder crear y experimentar el gozo, la vitalidad, la satisfacción.

Si percibes barreras internas que te alejan de esas capacidades, y que no puedes derribar por tu propia cuenta, entonces la terapia puede ser benéfica para ti.

Resumen

Pedir y otorgar perdón es uno de los componentes más difíciles de un Matrimonio de Clase Mundial porque para ofrecérselos a tu pareja puede ser necesario que te liberes de sombreadas conexiones con el pasado.

Cuando hayas lastimado, ofrece disculpas. Cuando te ofrezcan disculpas, perdona. Cuando hacerlo sea difícil, revisa los principios de este Pilar y trabaja en tu crecimiento personal. Mientras más te desarrolles como persona, mayor capacidad tendrás para superar las dificultades que ocurren en cualquier relación, así como para crear la cercanía de un Matrimonio de Clase Mundial.

El crecimiento es la única evidencia de la vida.

John Henry Newman

Crecimiento Personal

«¡Ya madura!», se decían mis padres durante una pelea en que se exasperaban mutuamente. «¡Tú madura!», respondía el otro. Estaban frustrados el uno con el otro y pensaban que la molestia del momento no hubiera sucedido si la pareja hubiese manejado las cosas de una forma más madura. No es a esto precisamente a lo que nos referimos con «Crecimiento Personal». Este Pilar se relaciona con el extremadamente importante reto de desarrollarte como ser humano: primero por la importancia que esto tiene para aumentar la calidad de tu vida y, segundo, para convertirte en una pareja más deseable e interesante.

Durante la fase de la luna de miel, se dejan de lado los temas del desarrollo personal mientras cada uno se enfoca en conocer íntimamente al otro, ayudado y alentado por la atracción y la exploración sexuales. Los cilindros relampaguean y la relación está llena de emociones nuevas. Cuando eso se acaba, quedan dos seres humanos imperfectos que, en el mejor de los casos, se gustan y admiran y tienen el compromiso de hacerlo funcionar juntos. Aun así, algo falta: la maravillosa descarga energética de la luna de miel.

125

No tiene sustituto idéntico alguno, ya que su poder tampoco lo tiene. ¿Esto significa que la emoción se ha ido por siempre de su relación? Ciertamente no, si revisas quién quieres ser en tu vida, qué quieres hacer, cuáles son tus intereses y metas, e identificas los pasos para mantener tu desarrollo como una persona interesante y excitante, llena de vitalidad.

Linda y Pete vinieron con nosotros para aprender habilidades de comunicación, pero pronto nos dimos cuenta que su relación de 16 meses se acercaba al fin. Pete, quien se visualizaba como una persona dada a la privacidad, se sentía «invadido» por Linda. Se quejaba de que ella sobrepasaba los límites continuamente. Cuando Pete intentaba compartir algo personal con Linda, ella se mostraba tan ansiosa de saber más, de ayudar, de tener un sentimiento de «intimidad» con Pete que, de hecho, hacía imposible que él compartiera con ella. Deseosa de satisfacer su propia curiosidad le hacía muchas preguntas, lo sondeaba, lo animaba a hablar actuando de una manera seductora, hacía lo que fuera por extraerle información y terminaba dominando la conversación entera. Él respondía a esto rehusándose a hablar, erigiendo una barrera que ella no pudiese cruzar. Sintiéndose frustrada, Linda decidió aun con más fuerza llegar hasta Pete. Estas dos personas, cada una de las cuales de hecho quería compartir con la otra, estaban tan enfrascadas en su batalla que no habían hecho ninguna conexión íntima.

¿Cuál es la solución a los problemas de Linda y Pete? Parcialmente, es aprender habilidades de comunicación y que Linda comprenda que la conversación «es de Pete» cuando él tiene algo que quiere compartir. Su papel es escuchar de una manera que le permita a Pete mantener el control de la conversación.

Pero, lo que es más importante, Linda necesita desarrollarse como persona para que tenga un sentimiento más profundo del yo, tenga más cosas en su vida y en su interior, para que se sienta centrada y completa, independientemente de Pete. Como son las cosas ahora, ella lo busca de una forma demasiado necesitada, aferrándose en hacer contacto con Pete, y él rehuye a esto, haciéndola buscar aun más desesperadamente la conexión.

Si ella puede encontrar una forma confiable para crecer y encontrar opciones más profundas de satisfacer su vida, podrá ser independiente y respetar las fronteras de Pete. Paradójicamente, es probable que esto le lleve a tener mayor intimidad con su pareja, que es lo que busca con tanta desesperación.

Ciertamente, una relación fuerte y amorosa, por sí misma, hace mucho por ayudarte a sentir bien interiormente. Sin embargo, mientras con más facilidad podamos obtener ese sentimiento de bienestar como individuos al enriquecer nuestras vidas, más podremos crear una relación aun más fuerte y amorosa con nuestra pareja. No hay sustituto alguno para el crecimiento personal y el enriquecimiento de la propia vida.

El crecimiento personal se relaciona primordialmente con tomar la responsabilidad de hacer funcionar la vida propia individualmente. En segundo lugar, se trata de convertirse en un ser humano completo e interesante, atractivo continuamente incluso para la persona con la que se ha vivido durante muchos años y quien conoce todos tus defectos.

Jessica y Matt han estado juntos durante ocho años. Ella se unió recientemente a una organización de beneficencia, trabajando como promotora de la paz internacional. Este no es uno de los intereses de Matt, pero de cualquier forma le ayuda con algunas de las gráficas de computadora para la correspondencia que ella envía en su organización. Jessica disfruta trabajar con esta organización porque conoce gente interesante y le hace sentir que hace algo importante. También le gusta tener ese proyecto para hablar de él con Matt.

Jack es un policía retirado. En lugar de quedarse en casa sin nada que hacer, se afilió a dos asociaciones de horticultura y está muy involucrado en muchos aspectos de la jardinería, expone sus arreglos florales y ocupa cargos en ambas asociaciones. Allison adora tener sus plantas en la casa, pero lo más importante: le encanta que Jack esté involucrado en algo que le emociona.

A Ralph le gusta decir que lo involucro «¡en las peores cosas!». Esto incluye recibir en casa a estudiantes japoneses de intercambio, organizar cenas contratando a una cocinera francesa, acarrear montones de estiércol para el jardín de rosas, ofrecer una fiesta para el embajador de China, estudiar italiano escuchando grabaciones, ayudar con el correo de organizaciones de beneficencia, planear una fiesta familiar... Y hay aún más cosas; y el hecho de que siempre esté sucediendo algo en nuestras vidas, muchas de las cuales yo provoco, es algo que a Ralph le encanta de mí. El que les llame «las peores cosas» es una frase que en realidad quiere expresar cuánto le gusta toda esta emoción.

¿Es Ralph el único al que le gusta toda esta emoción? Claro que no, yo creo estas experiencias principalmente porque a mí me interesa vivir una variedad de experiencias que me involucren, enriquezcan y satisfagan. Son parte de mi continuo deseo de crecer y agregarle sabor a mi propia vida. Un producto secundario es que se suman a mi vitalidad.

Vitalidad

La vitalidad es una cualidad seductora. Sin embargo, sorprendentemente, la vitalidad no se ha discutido lo suficiente en la literatura profesional ni en la popular. Creemos que este elemento merece más atención debido a que nutre al individuo y hace más emocionante la relación.

La vitalidad revela una capacidad de apertura, de respuesta, animación y energía que resulta profundamente atractiva para la gente. Creemos en la importancia de expandir tu capacidad para estar vivo o viva ante la riqueza, amplitud y emociones que ofrece la vida.

¿Qué nos atrae de los otros? La vitalidad parece ser una de las cualidades primordiales. Nos atrae una persona con sonrisa vibrante, respuestas emocionales, con habilidad para expresar pensamientos y sentimientos con pasión, una persona abierta a nuevas posibilidades, una persona con energía, una persona que se esfuerza en tareas valiosas, el atleta que supera las dificultades, el bebé de ojos brillantes y cara feliz. Todas estas cosas representan vitalidad; y quizá porque experimentarla en otra persona nos hace sentir más vivos, esta capacidad nos atrae cuando la vemos en los demás. Por esto, creemos que mantener tu propio coeficiente de vitalidad es un aspecto importante de mantener tu relación vital. Y la vitalidad sólo es posible cuando te aseguras de satisfacer tus propias necesidades.

A los 18 años, Hanna era alta, hermosa y brillante: llena de vida y potencial. Para los 30, se había convertido en la madre de tres enérgicos niños y se había doctorado en biología. Era muy infeliz en su matrimonio, pero sentía que tenía que quedarse en esa relación devastadora hasta que sus hijos crecieran y se hubieran ido a la universidad. Expresando esta frustración, se dijo: «Son sólo diez años más». Cuando la vimos varios años después, era una alcohólica divorciada que había perdido su prestigioso empleo debido a la bebida y decía que no había sentido que valiera la pena vivir la vida desde hacía varios años. Su espíritu estaba destrozado y se veía 20 años más vieja que sus 53. Recientemente, nuestras postales navideñas han regresado con un anuncio de que la dirección expiró, en la lista de la asociación de ex alumnos se le cataloga como «desaparecida» y hemos llegado a temer lo peor.

La historia de Hanna es estremecedora porque muestra claramente su «suicidio espiritual». Al no ver opciones más allá de quedarse en una relación dolorosa, sacrificó tanto sus propias necesidades ante las de sus tres hijos que el alcohol se convirtió en su única vía de escape. Esta espiral descendente de desaliento, desesperación y alcohol, con la concomitante devastación de su carrera, finalmente mató su vitalidad y la convirtió en el cascarón vacío de una persona.

Esto es un desperdicio terrible de una persona talentosa y valiosa, así como una tragedia para su familia y amigos. Aunque Hanna era sensible y cuidadosa ante las necesidades de sus hijos, no pudo ser sensible y cuidadosa con las suyas propias. Podría haber ocurrido una historia completamente distinta si ella se hubiera comprometido de la misma forma en lograr satisfacer sus necesidades y su espíritu vivo, en lugar de aturdir su experiencia de todo a través de un uso excesivo del alcohol.

Mantenernos en el juego de la vida, vibrantes e intactos, es una tarea que todos debemos tomar con seriedad. Esto conlleva el ser sensibles con nuestras propias necesidades, sin importar cuáles sean estas. Puedes tener necesidad del reto, de la expresión propia, de la oportunidad, de la diversión, del tiempo en privado, del tiempo con los otros; cualquiera que sean tus necesidades, debes encontrar formas creativas para satisfacerlas si deseas mantener vivo tu espíritu.

Claro que para mantener tu relación floreciendo al mismo tiempo requerirás que las soluciones que utilices para satisfacer tus necesidades sean aceptables para tu pareja. Si esto se convierte en un problema, puede resolverse a través del compartir con honestidad, del escuchar con empatia y del solucionar problemas de una manera creativa.

Resulta fundamental atesorar tu propia vitalidad y trabajar para mantenerla nutrida dentro del contexto de tu relación marital. Se requiere de un compromiso luego de haber reflexionado sobre tus propias necesidades y las de tu pareja. Irónicamente, para algunas personas, proteger y nutrir su vitalidad, goce y espontaneidad puede requerir de un compromiso serio y solemne. Piensa en tu vitalidad como si fuera una piel de bebé maravillosa que quieres mantener libre de los daños del desaliento y la desesperación.

Si las mismas rutinas de siempre (los mismos programas de televisión a las mismas horas cada noche, el mismo sitio para vacacionar cada año, la misma ruta a casa a diario) están atrofiando tu vida, si el estancamiento y el aburrimiento están a la vuelta de la esquina, si tu vitalidad está muriendo y tu crecimiento se hace más lento, abre tus ojos al enorme mundo que está en el exterior para que te involucres en él. Aquí hay una pequeña fracción de lo que te espera:

Arqueología... arte... música... idiomas... viajes... fotografía... ecología... horticultura... entretenimiento... el mercado accionario... deportes... mejoras caseras... ayudar en elecciones políticas... coleccionar estampillas... historia... matemáticas... escribir... yoga... ejercicios mentales... producciones teatrales locales... ajedrez... salud... oportunidades de voluntariado... paz mundial... mascotas... cultivar tus propios alimentos orgánicos... programas literarios... actividades comunitarias... leer para ciegos... volver a estudiar... clases de enriquecimiento personal... actividades en la iglesia... astronomía... combatir el hambre mundial... programas de ciudades hermanas... poesía... preservación del medio ambiente... navegar... campañas de limpieza urbana... programas para la pobreza rural... programas de alfabetización... explorar el Internet... ¡la lista es infinita!

Involucrarte

A menudo se dice que es importante «involucrarse en algo mayor a uno mismo». Las razones son el valor que da el enfrentarse a un gran reto y el valor de tener algo que te da una perspectiva más amplia de tu vida. Involucrarte en una tarea «imposible» que valga la pena hace que dejes de centrarte en las pequeneces de las preocupaciones cotidianas, aumenta tus límites intelectuales, expande tu fe en tus propias capacidades y nutre tu autoestima. Todo esto te ayuda a convertirte en una persona más compleja, capaz y sensible, más hábil para satisfacerse a sí misma y a su pareja. Ambos se beneficiarán del vivir dentro de este medio ambiente enriquecido.

Involucrarse en algo que vaya más allá de uno mismo en verdad es una opción ganadora, para uno mismo, para la relación en pareja y para el mundo en general. Lo recomendamos ampliamente.

Un beneficio secundario del tener intereses externos atractivos es que quitan presión de la relación principal. Si volteas hacia tu pareja para todo, seguramente sufrirás decepciones. Ninguna relación puede satisfacer todas tus necesidades. Reconocer esto y desarrollar intereses externos no competitivos y atractivos aligerará la carga que tiene que llevar la relación.

Crecer Psicológicamente

Es difícil saber lo que quiere decir la gente cuando habla de la importancia de «trabajar en tu matrimonio», pero éste es un valor aceptado tanto por los expertos como por la gente común. Aunque esto suena sensato, hemos llegado a creer que no es exactamente en los matrimonios en lo que se necesita trabajar. Claramente, resulta importante aprender habilidades de comunicación, ya que éstas te permiten evitar muchas de las caídas y heridas innecesarias que ocurren debido a una comunicación que no se desarrolla adecuadamente. Más allá de eso, creemos que la forma más efectiva de trabajar en tu matrimonio consiste en trabajar en tu Ser. La mejor manera de crear un progreso real en el matrimonio es a través del crecimiento personal.

Cuando puedas conectarte contigo, cuando sepas cómo comunicarte de una manera auténtica con tu pareja y le escuches profundamente, entonces podrás conectarte a la humanidad del otro. Esta intimidad es el terreno más fértil para una relación. El crecimiento personal te permite conocerte y al mismo tiempo, ver a tu pareja como algo muy parecido a ti: un ser humano valioso con necesidades, deseos y grandeza.

La manera más efectiva de alentar el crecimiento personal, ya sea en ti o en los demás, es proporcionado por las condiciones de Empatia, Aceptación y Genuinidad (Congruencia) que alientan el crecimiento en todas las relaciones terapéuticas. Con el paso del tiempo, estas condiciones generan un clima que permite el desarrollo del conocimiento personal, sanar de las heridas, hacer más suaves los bordes, liberar los comportamientos de autoderrota, el desarrollo del yo, y el sentimiento de que eres quien se supone que debes ser.

Actitud Defensiva

Una amenaza no reconocida para la intimidad y el crecimiento personal es estar a la defensiva: esa característica de buscar cubrirnos, explicarnos o protegernos de alguna otra forma cuando percibimos ataques o críticas, una característica demasiado predominante en los seres humanos. La actitud defensiva se desarrolla durante la infancia principalmente debido a la interacción con padres que (1) intentan moldearnos como seres humanos apropiadamente socializados y (2) tienen un fuerte deseo de paz y predecibilidad. Para alcanzar estas metas, los padres amenazan, culpan, regañan, ordenan, interrogan, sermonean, analizan, critican y ofrecen otras varias formas de intentos de control. Debido a estos torpes intentos de moldear comportamientos, cuando somos niños nos sentimos abusados, controlados, culpables y, en general, inadecuados. Debido a que esto constituyó una afrenta a nuestra autoestima y estuvo compuesto por sentimientos difíciles de tolerar, desarrollamos la táctica de explicar, justificar y defender nuestras acciones esperando lograr que nuestros padres dejaran de estar enojados y pensaran bien de nosotros. Aprendimos cómo ponernos a la defensiva, y estar a la defensiva pronto se convirtió en un hábito interiorizado.

Aun más, es posible que nos hayamos moldeado de acuerdo con las técnicas de formación de personalidad de nuestros padres: las culpas, los regaños y los interrogatorios, y estos mismos comportamientos pueden provocar fácilmente que nuestra pareja se ponga a la defensiva.

Esta sencilla historia ilustra lo que es la acción de la actitud defensiva. Hubo un fuerte terremoto y la preocupada madre llama a su hijo pequeño. «Peter, ¿dónde estás?». El niño de seis años replica: «¡Yo no lo hice, mamá!»

Las técnicas de influencia de nuestros padres las aprendieron en las rodillas de sus propios progenitores, y resulta útil tener compasión con las dificultades que pasan los padres intentando entrenar, educar, tolerar y socializar con sus retoños durante los largos años de la infancia.

Sin embargo, los residuos de aquellos años (el estar a la defensiva) son una característica que a menudo sigue formando parte de nuestra personalidad, a pesar del hecho de que ya no tengamos un miedo comprensible o evidente hacia la crítica o el rechazo paterno. Aun así, estos residuos persisten siempre que estamos en una situación que parece amenazante:

cuando percibimos que la otra persona no siente empatia hacia nosotros, no nos acepta o no está actuando honestamente. Al percibir una forma de peligro, respondemos poniéndonos a la defensiva: malinterpretamos lo que nos comunican para que vaya de acuerdo con nuestros miedos, nos instalamos en una situación de control de los daños, perdemos nuestra empatia y aceptación hacia la otra persona, y nuestra propia honestidad cede su lugar ante las consideraciones tácticas. Por desgracia, estas condiciones tienden a poner a nuestra pareja a la defensiva y como resultado obtenemos rápidamente un círculo vicioso. ¡A esto se le llama discordia marital!

Si hemos estado en pareja durante algún tiempo, es probable que hayamos visto a nuestro compañero o compañera ponerse a la defensiva, que dijera o hiciera cosas para explicarse y protegerse en situaciones en las que sabíamos no era necesario hacerlo porque no la habíamos criticado o amenazado de ninguna manera. Sin embargo, por alguna razón, nuestra pareja intentó explicar o justificar sus acciones. Es más fácil identificar lo «innecesario» de la actitud defensiva de nuestra pareja porque tenemos la ventaja de saber que no íbamos a saltarle encima y causarle daño psicológico; sin embargo, nuestra pareja actuó como si esto estuviera a punto de suceder.

Bajo estas circunstancias, pudimos haber sido capaces de observar lo degradante que fue para nuestra pareja la lucha por buscar explicaciones para su comportamiento sin estar frente a un enemigo. Como observadores de la actitud defensiva de nuestra pareja, reconocemos lo innecesario, la pérdida de tiempo y lo degradante que es, además que nos desvía de aquello que buscamos lograr juntos. En ocasiones, podemos llegar a sentirnos impacientes al escuchar una actitud defensiva innecesaria por parte de nuestra pareja.

Colocarse a la defensiva, especialmente dentro de una relación marital, no debería ser necesario y, aun más, es importante reconocer la amenaza que esta actitud representa para la comunicación íntima y la relación misma. La investigación de John Gottman con parejas, en la Universidad de Washington, identificó la actitud defensiva como uno de los factores clave en el daño a una relación marital: la actitud defensiva, dice, «puede llevar a una interminable espiral de negatividad. Si encuentras el valor de no ponerte a la defensiva (o al menos de reconocerlo o minimizarlo cuanto sea posible) puedes estar seguro de que tu matrimonio mejorará»[4].

¿Qué Crea la Actitud Defensiva?

La actitud defensiva involucra a dos personas: el emisor y el receptor. Es evidente que el receptor está involucrado en su creación porque es éste quien escucha algo que le molesta y responde de una forma defensiva. Sin embargo, en todos los casos, el comportamiento del emisor está involucrado como factor desencadenante, en mayor o menor medida. Es menos importante determinar si es el receptor o el emisor el responsable de crear la actitud defensiva, de lo que es que ambos trabajen en minimizar su recurrencia en la relación. En algunos aspectos, la actitud defensiva es como los roedores: no importa si se originaron en el jardín del vecino o en el tuyo, ambos se encuentran amenazados.

La persona defensiva escucha algo que percibe como una amenaza y se pone en acción para guarecerse anticipadamente del daño. Además de hablar del tema del que se esté discutiendo, la persona defensiva dice cosas que piensa mejorarán su imagen frente al otro, que le permitirán ganar, dominar, impresionar, escapar al castigo y evitar o disminuir un ataque verdadero o anticipado tan sólo.

En algunas situaciones, la actitud defensiva llega como respuesta a circunstancias similares a las de una experiencia

4. John Gottman (1994), Why Marriages Succeed or Fail... and How Can You Make Yours Last, Nueva York, Fireside, p. 181.

dolorosa ocurrida en alguna relación previa. Estas situaciones son comunes en el matrimonio, ya que nuestra pareja a menudo se conecta inseparablemente, a un nivel inconsciente, con los padres o las figuras de autoridad de la infancia. Puede que no necesitemos demasiado estímulo por parte de nuestra pareja para desencadenar una reacción exagerada basada en una conexión con una experiencia similar anterior que nos sucedió. Tan solo se necesita un cierto tono de voz, un tipo de mirada, escuchar una palabra en particular, y nos conectamos con una situación dolorosa ocurrida hace veinte, treinta o cuarenta años en la que fuimos criticados, avergonzados, heridos, humillados..., ¡y reaccionamos como si estuviéramos a punto de ser devorados en el presente y no fuéramos a dejar que eso nos sucediera de nuevo! Nos defendemos como sea y nuestra actitud defensiva resulta fuera de proporción con la amenaza real presente. En tal situación, nuestra pareja puede sentirse como un actor involuntario dentro de este drama individual y preguntarse: ¿qué fue lo que hice mal?

La baja autoestima puede jugar un papel importante a la hora de generar una actitud defensiva. En las áreas en las que sentimos poca autoestima, no se necesita que nuestra pareja haga mucho (quizá sólo un suspiro que no tiene nada que ver con nosotros personalmente) para provocar que nos sintamos amenazados y actuemos a la defensiva. La baja autoestima levanta su fea cabeza en muchos sitios inesperados y juega un papel clave en muchas de las actitudes defensivas.

Ambientes Defensivos

En algunas situaciones, la actitud defensiva es la respuesta a un comportamiento que casi cualquiera percibiría como amenazante. Sin importar cuán seguro de sí mismo y sin cicatrices sea nuestro compañero o compañera, el otro dice y hace cosas que hacen que la actitud defensiva sea casi inevitable.

El trabajo de Jack Gibbs en los National Training Laboratories[5] sobre la actitud defensiva identifica seis comportamientos que estimulan, y seis comportamientos que reducen la actitud defensiva.

Estimulantes de la Actitud Defensiva

- **Evaluación**: Comportamiento verbal o no verbal que parezca evaluativo o enjuiciador: culpa, juicios morales, evaluaciones en términos de bien y mal, cuestionar motivos.

- **Control**: Comportamiento verbal o no verbal por medio del cual se intente controlar al receptor.

- **Estrategia**: Cuando se percibe que el emisor está involucrado en una estratagema involucrando motivaciones ambiguas o múltiples.

- **Neutralidad**: Discurso verbal poco afectivo que comunique poco calor o cariño, indicando una falta de preocupación por el bienestar del receptor.

- **Superioridad**: Cualquier comportamiento verbal o no verbal que le comunique al otro que uno se siente superior en posición, poder, riqueza, habilidad intelectual, características físicas o de otras formas.

- **Certeza**: Parecer que se conoce la respuesta, que no se requiere de información adicional, considerarse a uno mismo como maestro más que como pareja, ser dogmático.

Ambientes de Apoyo

El antídoto para la actitud defensiva yace en crear un «Clima de Apoyo» tanto para ti como para tu pareja. La inves-

---

5. J.R. Gibb, «Defense Level and Influence Potential in Small Groups», en L. Petrullo y B.M. Bass (eds.), Leadership and Interpersonal Behavior, Nueva York, Holt, Rinehart and Winston Inc., 1961, pp. 66–81.

tigación de Gibbs identifica antídotos para cada uno de estos seis estimuladores de la actitud defensiva:

- **Descripción (frente a evaluación)**: El discurso descriptivo tiende a generar un mínimo de incomodidad.

- **Orientación del problema (frente a control)**: Cuando el emisor comunica su deseo de colaborar, tiende a crear la misma orientación hacia el problema en el receptor, e implica que no tiene soluciones, actitudes, o métodos que imponer.

- **Espontaneidad (frente a estrategia)**: El comportamiento que parece espontáneo y libre de engaño reduce la actitud defensiva.

- **Empatia (frente a neutralidad)**: Una comunicación que exprese empatia hacia los sentimientos, así como respeto por el valor del receptor, resulta particularmente buena para reducir la actitud defensiva.

- **Equidad (frente a superioridad)**: Las defensas se reducen cuando uno percibe que el emisor tiene la disposición, de participar en una planeación participativa con respeto y confianza mutuas.

- **Provisionalismo (frente a certeza)**: La disposición a experimentar con el comportamiento, las actitudes y las ideas; comunicando que el receptor estará abierto a cualquier resultado.

Reducir Tu Propia Actitud Defensiva

La actitud defensiva a menudo es una reacción impulsiva, no planificada, que resulta difícil percibir antes de que sea demasiado tarde. Trabajar en ser conscientes de las varias formas en las que expresamos nuestra actitud defensiva ayuda para que podamos comenzar a observar su acontecer, ya sea mientras está sucediendo o poco después. Si podemos observar nuestro propio comportamiento sin culparnos (con Empatia y Aceptación hacia nosotros mismos), esto se convierte en una beneficiosa manera de ayudarnos a liberar el yugo que esta actitud defensiva tiene sobre nuestro inconsciente, permitiéndonos finalmente volvernos menos defensivos, así como tener menos miedos y mayor control.

Si sabes conscientemente que tu pareja no busca amenazarte, pero notas que aun así estás a la defensiva, recuérdate gentilmente que tu pareja no te quiere poner a la defensiva, que tu pareja quiere que te sientas a salvo. Recuérdate que no necesitas explicar, justificar o excusar tu comportamiento: que tú eres una persona valiosa trabajando siempre en el mejor nivel que logras alcanzar, aunque éste no siempre sea aceptable para los demás. Reconoce que la actitud defensiva no es necesaria o benéfica y que mina sutilmente tu autoestima y crea obstáculos innecesarios en la relación con tu pareja. Escoge de forma consciente no defenderte siempre que puedas hacer conciencia de esto como una opción. Encuentra la fuerza necesaria para dejar ir la actitud defensiva.

Al experimentar momentos de vulnerabilidad sin defensas, tendrás la oportunidad de aprender a confiar en la seguridad de tu relación en pareja. Estos atemorizantes momentos de intimidad, momentos en los que estás con tu pareja sin defenderte, le abren la puerta a una mayor salud psicológica y un profundo sentimiento de cercanía.

Tanto tú como tu pareja experimentarán muchos de los deseables efectos secundarios derivados de su trabajo en la reducción de su actitud defensiva. Además de la libertad de no tener que lidiar con la actitud defensiva, lograrán aportar a la relación mayores cantidades de Empatia, Aceptación y Genuinidad como resultado del trabajo empleado en el cultivo interno de estas condiciones. A medida que te conviertes en ti mismo o en ti misma de una forma más genuina, a menor merced de la actitud defensiva, y te comprometes en un proceso de reducción de tu actitud defensiva a través de la observación, la empatia y la aceptación propia, te convertirás en la persona que tu pareja podrá disfrutar más.

Este sendero hacia el crecimiento personal continuo es un ingrediente importante para crear una relación profunda y rica con tu pareja.

Resumen

Las revistas populares están llenas de consejos seductores sobre cómo mejorar personalmente, cómo ser más bellos, más guapos, más atractivos, más fuertes, más delgados, mejores en la cama, para que puedas ser una persona más feliz, conseguir pareja o seguir atrayendo a la que ya tienes. El éxito de estas revistas es prueba de la creencia que tiene la gente en que si uno tiene esas soluciones profundas logrará alcanzar estas metas profundas. Sin embargo, el hecho es que el crecimiento individual, el expandir tus talentos, capacidades, perspectivas de la vida, tu profundidad y humanidad como persona, es la ruta verdadera hacia ser una persona más feliz y capaz de seguir siendo excitante para su pareja. Tu profundidad personal y vitalidad son las principales claves para desarrollar y mantener tu propio Matrimonio de Clase Mundial.

> *No creemos en el reumatismo y el verdadero amor*
> *sino hasta después de tener el primer ataque.*

Marie Von Ebner–Eschenbach

PILAR 15

Nutrir la Luna de Miel

Un Matrimonio de Clase Mundial, al igual que un hermoso jardín, prospera si se le cuida. Durante la fase de luna de miel de la relación, es común que ambos miembros de la pareja se involucren en varios tipos de comportamientos románticos. Después de la luna de miel, esto tiende a disminuir dramáticamente. Es como si se fertilizara el jardín cuando las plantas son jóvenes y luego se esperara que crecieran y florecieran por siempre sólo con aquella única ración de fertilizante. Las plantas decaerán en un régimen de este tipo, al igual que los matrimonios. Como todo jardín hermoso, un matrimonio que se alimenta con nutrientes ricos (en este caso, palabras y actos amorosos) florecerá de forma gloriosa y nutrirá la cercanía, que es lo que mantiene los sentimientos de la luna de miel vivos.

La escritora feminista Úrsula LeGuin hace notar que «el amor no se queda inmóvil como una piedra; tiene que hacerse igual que el pan, que se vuelve a hornear una y otra vez para que sea fresco».

¿Cómo puedes nutrir la luna de miel y hacer que la relación se mantenga fresca? ¡Tú ya lo sabes! Es como el ejercicio (¡sólo hazlo!), con palabras y actos.

Actos

Notas de amor, caminatas en la playa, nombres cariñosos, miradas amorosas, miradas sensuales, miradas juguetonas,
ramos de flores, chocolates, regalos tontos, regalos sensuales,
sorpresas especiales, una hora sin los niños, ver la televisión
tomados de las manos, masajes de espalda, masajes de pies,
cosquillas juguetonas, tomar una ducha juntos, impulsarse en
el columpio de un parque, descansar bajo las estrellas, citas
nocturnas, cenas a la luz de las velas en el dormitorio, bailar, beber champaña, tomar vacaciones románticas: cualquier
cosa que les permita comunicarse y experimentar el gozo que
sienten por tener esta relación con su pareja.

Palabras en Forma de Corazón

El Lenguaje–Yo positivo es una poderosa forma de
comunicar verbalmente tu amor, admiración y cariño. Estos
mensajes contienen la palabra «Yo» seguida por un verbo que
describe tu sentimiento en relación con tu pareja. El más clásico es «Yo te amo», que al parecer tiene un equivalente en toda
lengua. Quizá esto se deba a que los seres humanos, más allá
de su cultura, necesitan escuchar expresiones simples y fuertes
de su importancia para otro ser humano. Los Matrimonios de
Clase Mundial se nutren con el Lenguaje–Yo positivo y recomendamos que alimentes tu capacidad de mandar estos mensajes a tu ser amado.

En lugar de describir a tu pareja («Eres hermoso o hermosa», «Eres tan inteligente», «Eres genial»), el Lenguaje–Yo
describe algo que sucede dentro de ti y no en tu pareja, son
expresiones de tu ser. Para que sean significativos, los Mensajes–Yo positivos deben ser expresiones honestas sobre cómo
piensas que te sientes. No pueden basarse en el halago o en las
mentiras. Recuerda la importancia de la Genuinidad.

Como estos mensajes hablan de ti, el emisor, y ya que se basan en la realidad de tus sentimientos, tienen una ventaja real sobre los cumplidos más comunes, como decir «qué guapo o hermosa eres».

Tu pareja puede dejar de lado este cumplido rápidamente diciendo «¡No, mi cabello se ve horrible!», si lo que le dijiste no va de acuerdo con su imagen propia, o si siente que es poco modesto estar de acuerdo. Pero si lo comunicas hablando de lo que pasa dentro de ti en relación con algo de tu pareja (por ejemplo, «me encanta cómo te ves»), resulta más fácil que tu pareja lo acepte y se beneficie del comentario (quizá pensando en su interior, «¿En serio? ¡Guau!»). Como el Lenguaje–Yo positivo es una declaración sincera de tus sentimientos, es menos probable que tu pareja se niegue a escuchar y más probable que lo disfrute y se nutra de ella.

El Lenguaje–Yo positivo es variado y estas expresiones pueden ser ricas, satisfactorias, incluso deslumbrantes:

«Estoy comprometido o comprometida contigo y quiero que nuestra relación funcione».

«Te adoro».

«Me enloqueces».

«Me encanta estar contigo».

«Amo tu olor».

«Adoro sentirte».

«Me encanta hacer el amor contigo».

«Quiero llenar tu vida de flores».

«Te pertenezco».

«Adoro cómo funciona tu mente».

«Te deseo».

«Te perteneceré siempre».

«Adoro tu rostro».

«Me encanta tocarte las manos».

«Me impresionó la forma en que manejaste eso».

«Amo observarte».

«Adoro escucharte hablar».

«Me encanta cómo te comportas con los demás».

«Me fascinas».

«Te admiro».

«Amo ser tu esposo/esposa/compañero/compañera».

«Siento que soy una persona con suerte por haberme casado contigo».

«En verdad me gustas». «Soy profundamente feliz contigo».

Vulnerabilidad

A veces la gente duda en enviar este tipo de mensajes, ya sea por miedo a ser vista como demasiado enamorada o vulnerable, o por la idea de que uno no debe «pasarse de la raya», porque si tu pareja en verdad supiera cuán grande es tu amor y lo comprometido o comprometida que estás con la relación, llevaría la batuta y esto de alguna manera te pondría en una mala posición. Estas concepciones son disparates.

Para empezar, es importante reconocer que cuando se habla de amor, se habla de vulnerabilidad. No se puede amar a alguien sin ser vulnerable. El amor es un sentimiento de vulnerabilidad, no se trata de una posición de protección. Y una de las cosas que hacen tan precioso al amor es precisamente que se trata de una expresión de ternura. Los seres humanos respondemos ante la ternura, ante la vulnerabilidad, ante los bebés, los gatitos, los cachorros y, principalmente, ante las expresiones de amor. Si quieres ser capaz de expresar amor, debes considerar el hecho de que éste es una expresión de vulnerabilidad.

En una relación amorosa nada se recibe mejor que los mensajes de amor, admiración y cariño. En lugar de afectar el equilibrio emocional, estos mensajes unen. Imagina, por ejemplo, escuchar un día a tu ser amado pasando de decir «te amo» a decir «¡te adoro!». ¿Qué te hace sentir? ¿Te dices: «¡Aja! Ahora puedo salirme con la mía»? No, lo más probable es que te sientas feliz y contento: un chapuzón en aguas de profunda seguridad emocional. Esta clase de seguridad tiene efectos maravillosos en las personas, logrando de alguna forma que surjan sus mejores cualidades como seres humanos.

Como los Mensajes–Yo son declaraciones de aceptación (a veces muy profundas), son de las cosas más poderosas, benéficas y maravillosas que se le pueden decir a la pareja. Ayudan a crear un ambiente que hace salir la belleza interna y la fuerza de la otra persona. Y es uno de los ingredientes más importantes y maravillosos que puedes añadir a tu relación. Esta apertura positiva es una forma satisfactoria y gratuita de llegar a tu pareja y nutrir los sentimientos de luna de miel en su relación. Busca la oportunidad de alimentar tu relación compartiendo con tu pareja tus pensamientos y emociones de admiración y amor.

No te reserves: prodiga tu afección generosamente, comunica de forma directa lo especial que tu pareja es para ti. Podrías hacer esto comprándole un caro diamante, código que muchas mujeres entienden y ante el que responden muy bien, o puedes hacerlo con el presupuesto de un mendigo y el corazón de un poeta. El único requerimiento es el deseo de llegar hasta tu pareja con el mensaje de que él o ella es profundamente especial para ti.

Impacto Dirigido

Céntrate en las preferencias de tu pareja para que tu manera de expresar cariño tenga un impacto significativo. Si a tu pareja le encantan las flores, concéntrate en las flores; si a tu pareja le encantaría un día de campo, escápense juntos un día; si tu pareja responde ante la poesía, saca el papel y escribe; si tu pareja responde ante hacer el amor, pon la música romántica a sonar. (Ver Pilar 9 «Dar Cariño de la Forma que Cuenta»).

A menudo las personas ofrecen lo que ellos quieren, en lugar de lo que su pareja quiere. La mejor manera de nutrir los sentimientos de luna de miel es darle a tu pareja lo que desee. Ponte en los zapatos de tu pareja, o haz memoria de lo que le has escuchado decir que quiere, y ofréceselo con regularidad. Si tus ideas propias te parecen poco adecuadas, consulta un libro, como *1001 Ways to Be Romantic*, de Gregory Godek (ver bibliografía), que es toda una fuente rebosante de ideas creativas (¡a qué pareja no le encantaría saber que su ser amado consultó un libro para aumentar su capacidad de expresar sentimientos de amor!). ¡Habla con total franqueza de tu compromiso por alimentar la relación con tu ser amado!

¡Toma en serio la idea de que tu matrimonio, como todos los seres vivos, necesita su ración de comida, agua, sol y de cariño amoroso y tierno para florecer!

> *No son cadenas las que mantienen unido a un matrimonio. Son hilos, cientos de pequeños hilos, los que unen a la gente, hilvanando a las personas a través de los años.*

> Simone Signoret

PILAR **16**

Forjar Nexos

Hace años uno de nuestros colegas contrastó nuestro matrimonio con el suyo diciendo: «Lo maravilloso de ustedes es que han forjado un nexo». Intuitivamente, sabíamos a lo que se refería: ese compromiso independiente de la conciencia o los pensamientos racionales sobre los motivos para seguir en la relación. De alguna forma, nos habíamos «pegado» psicológicamente el uno al otro, e íbamos a seguir así. Sin importar qué dificultades y molestias tengamos entre nosotros, terminar la relación nunca surge como una opción seria para ninguno de los dos.

Nos interesamos en el concepto del nexo, aunque al principio no podíamos definirlo con claridad, no estábamos seguros de qué lo había creado, y ni siquiera sabíamos si era siempre algo bueno: ¿y si te encadenaba a una relación terrible? El tener un vínculo de unión nos parece muy valioso, y vemos ingredientes que tienen una buena oportunidad de hacer que ésta crezca, pero lo diremos claramente: si en el fondo de tu corazón sabes que la relación es mala para ti, ¡no te encadenes a ella! Ofrecemos este concepto para la gente que está en relaciones buenas, como una manera de enriquecer y hacer más fuerte su Matrimonio de Clase Mundial.

El diccionario nos muestra algunas definiciones:

Nexo: Nudo, unión, vínculo. Algo que une a individuos o pueblos; algo que liga o une; la fuerte y duradera calidad del afecto.

Estas definiciones se aplican bastante bien al concepto como lo experimentamos. La ganancia que obtenemos de formar un vínculo es el maravilloso aumento en la confianza de la supervivencia a largo plazo de nuestra relación: el sentimiento de que no necesitamos seguir perdiendo el tiempo y la energía psicológica en fantasías escapistas o preocupaciones por el abandono, y que podemos enfocarnos en nuestras vidas y lidiar con los problemas cotidianos desde la seguridad de una relación estable.

¿Cómo es que las parejas forman nexos? Algunas personas los forman a través de un bautismo de fuego: superar juntos exitosamente un problema serio o un desastre, durante el cual pueden mantener intacta la comunicación de corazón a corazón, y después emergen con un lazo especial. En retrospectiva, creemos que una pérdida de trabajo desastrosa al principio de nuestra relación jugó una parte importante en forjar nuestro vínculo, que en realidad fue nuestra buena fortuna disfrazada de problema.

Para otros, creemos que resulta posible la creación consciente de condiciones que reforzarán el nexo y les ayudarán a crear su propio lazo. Nosotros vemos cinco ingredientes principales:

- Tus intenciones en cuanto a la relación.
- Tu uso consciente de los 16 pilares.

- Involucrarte en actividades para «estar juntos»

- Rendir tus defensas anticompromiso.

- Pasar juntos a través del crisol de la vida durante un periodo significativo de tiempo.

Intención

¿Cuáles son tus intenciones hacia esta relación? ¿Quieres que las cosas funcionen con esta pareja? ¿Tienes un compromiso emocional hacia esta relación? ¿Esta persona es tu ser amado? ¿Esta persona en verdad te resulta preciada? ¿En verdad estás DENTRO de la relación? Si tu respuesta ante cualquiera de estas preguntas es «No», entonces es poco probable que tu intencionalidad sea lo suficientemente alta como para forjar un lazo. Si tus respuestas son afirmativas, entonces ya estás haciendo bastante de por sí hacia la creación del lazo que mantiene unida a una pareja.

Utilizar los Pilares

Con la intención consciente de estar dentro de una relación comprometida, el uso de los Pilares de un Matrimonio de Clase Mundial se convierte en una poderosa herramienta con la cual ayudar al desarrollo de un nexo real, y ofrece cimientos para todos los aspectos de tu relación. Los pilares les ayudan a comprender juntos los comportamientos que dañan las relaciones y cómo evitarlos, así como los comportamientos que refuerzan las relaciones y la manera de utilizarlos.

El uso de estos pilares, además de sus muchas otras ventajas, es un elemento vital para crear las condiciones dentro de las cuales puede formarse un nexo.

Comportamientos «de estar Juntos»

Un tercer ingrediente parece ser el escoger actividades que alienten el desarrollo de estar «en algo» juntos, lo que aumenta el sentimiento de que están compartiendo mutuamente sus vidas. Por ejemplo, asistir a las «grandes ocasiones» de tu pareja, compartir el dinero y otras posesiones, hacer cosas para ayudar a tu pareja, ir juntos al gimnasio, asumir la responsabilidad de tu compromiso ante lo que le sucede a tu pareja (por ejemplo, hablar desde el punto de vista de «no puedo ir porque quiero cuidar a mi esposa, que no se siente bien», en lugar de «no puedo ir porque mi esposa está enferma»).

Claro que cada uno tendrá intereses y actividades separadas también, pero ten conciencia de la necesidad de un fuerte equilibrio con las actividades para «estar juntos», si tu meta es forjar un nexo.

Una actitud para «estar juntos» también es valiosa en innumerables ocasiones difíciles. Por ejemplo, cuando un familiar que está de visita hace algo irritante, es importante que ambos, quizá en especial por el miembro de la pareja que no tiene un lazo sanguíneo con la visita, tengan la oportunidad de hablar entre sí sobre este molesto comportamiento y se escuchen con aceptación y empatia. Aunque se trate de tu propia madre, de tu hermano o el familiar que sea, escuchar con empatia las molestias de tu pareja es mucho más productivo que defender las acciones de tus familiares. En estos momentos, libérate de un sentido de lealtad familiar y permite que tu pareja exprese su molestia o dolor. Negarlos podría ser causa de que tu pareja se sienta abandonada en un momento crítico.

Esto no significa tomar partido con tu pareja en contra de tu familiar, o confrontar a este último por su ofensivo comentario o comportamiento: ésa es tarea de la parte ofendida, en caso de parecerle necesario. Tu trabajo simplemente consiste en ofrecer un oído receptivo, todo lo que se pide y se necesita es aceptación con empatia, lo que en momentos de tensión aumenta el sentimiento de estar en esto juntos, y es un importante ingrediente dentro del proceso de formar un nexo.

Otra área vital y de largo plazo en la que resulta imperativo desarrollar el sentimiento de estar en esto juntos es la crianza de hijos. Éste es un proceso de 20 años, que continuamente presenta retos y dificultades junto a sus profundas recompensas, y que a menudo se ve marcado por desacuerdos, grandes y pequeños, sobre la mejor forma de proceder. Es fácil permitir que los desacuerdos al criar a los hijos te distancien de tu pareja. Ve el capítulo «Los Hijos y la Relación», más adelante en el libro, para obtener una visión más completa sobre este tema.

Pero para mantener la sensación de estar en esto juntos, mantén presente la idea de que criar a su hijo o hijos es algo que ambos decidieron hacer dentro del contexto de su relación, es una actividad compartida, a largo plazo, en la cual cada uno de los dos puede tener distintas responsabilidades y retos, y cada uno tiene una relación separada con sus hijos; pero ambos comparten (como con nadie más en la tierra) la responsabilidad de traer a estos niños al mundo y ayudarles a lograr una edad adulta exitosa. Dentro de este profundo contexto de compartir, es necesario que sepas que cuando los problemas parecen demasiado pesados para soportarlos, puedes ir con tu pareja y encontrar un oído lleno de empatia. Es reconfortante saber que las diferencias en cuanto al estilo personal de ser padres no interferirá, cuando las cosas salen mal, en el desempeño de un buen escucha. Cuando siempre puedes conseguir que se te escuche con empatia, puedes experimentar los beneficios del estar en esto juntos, los cuales alivian muchas cargas y, así, las pruebas del ser padres sólo fortalecerán el nexo que tienen.

Renunciar a Tus Defensas Anticompromiso

Probablemente, la mayor barrera para que la mayoría de las parejas se vinculen de verdad y disfruten de todos los beneficios que derivan de ello sea la necesidad de uno de los dos miembros de la pareja de mantener secretamente sus opciones: «Quizá cambie, entonces me comprometeré», o «Quizá venga algo mejor», «Quizá me hieran si soy demasiado vulnerable».

Estas defensas en contra del compromiso representan miedos y fantasías comprensibles, pero traen como resultado que te retraigas en secreto de un compromiso definitivo. Ellas insertan un centímetro (o un kilómetro) de distancia entre ambos, lo que hace que forjar un vínculo sea difícil.

Si tu juicio te dice que esta es en verdad una relación que vale la pena elevar a un estatus de Clase Mundial, debes encontrar el valor de poner de lado tus impedimentos y rendir tus defensas. De alguna forma, debes decirte, y hacerle saber libremente a tu pareja, que:

«Estoy comprometido (a) con esta relación, ante todo. Sin importar lo que pase, ¡he quemado mis naves!»

Rendir tu vía de escape es una de las mayores apuestas de la vida, si bien cuando estás en una buena relación los riesgos son pocos. Y la ganancia puede ser enorme. Eliminar esta última pulgada de distancia puede transformar una relación, de modo que resulte seguro amar con una profundidad mucho mayor que con la que se amaba antes, y se pueda acabar con el último impedimento para estar vinculados en verdad.

El tiempo funciona como una especie de magia en una buena relación. El tiempo se combina con los primeros cuatro ingredientes para crear una transformación en nuestro sentido del ser. El tiempo compartido y los problemas enfrentados dentro del complejo laberinto de la vida forjan un profundo sentimiento de pertenecerse mutuamente.

¿Forjar un Nexo es Algo para Todos?

Forjar un nexo consiste en un estado especial de compromiso e identificación con otra persona, reservado para una relación profunda fundamentada en el amor y la confianza. Por tanto, nuestro mejor consejo en relación con el forjar nexos es amar con sabiduría: no te apresures a hacer un compromiso que vaya más allá de la realidad de lo que tienen juntos. Conoce a la persona con quien estás, desarrolla confianza e intimidad emocional a lo largo de un tiempo, y cuando sepas que la relación es correcta para ti, que amas y confías profundamente en tu pareja, entonces entrégate por completo, deja caer el resto de tus defensas emocionales y ábrete en verdad a esta otra persona. Ríndete a un futuro compartido, y permite que el tiempo los vincule en un Matrimonio de Clase Mundial.

PARTE DOS

Aplicando los Pilares

Cada relación es única, con lazos especiales
de cercanía y dificultades y tensiones
especiales. Los pilares de los que se ha
hablado en este libro pueden aplicarse
universalmente, más allá de las personas
particulares involucradas en la relación.
Sin embargo, algunas relaciones tienen
características y temas que sentimos
requieren de un apartado especial. Éstos
serán presentados en los próximos
cinco capítulos.

> *Los lazos que nos unen a otra persona*
> *sólo existen en nuestra mente.*
>
> Marcel Proust

1. Vivir Juntos

Las parejas que viven juntas sin casarse (una auténtica rareza en otros tiempos) son algo común en el mundo de hoy en día. Estas relaciones recorren una gama que va desde pruebas experimentales hasta compromisos de unión a largo plazo.

Para algunas parejas, casarse nunca ha sido ni será una opción. Viven juntos, realizan la vida juntos, se encuentran totalmente comprometidos con su relación, y la familia y amistades los aceptan como tales. Por ciertas razones, y existen muchas, estas parejas no están interesadas en contraer matrimonio legalmente.

Otras parejas comienzan a compartir el techo en cuanto comparten el lecho. Despiertan para descubrir que están juntos por un acuerdo del tipo «mientras los dos así lo sintamos». Para muchas de estas uniones, el final de la luna de miel encuentra a uno de los dos marchándose para siempre.

Para otras parejas, vivir juntos es un paso en el camino hacia el matrimonio. Después de salir por un tiempo y encontrar que su relación crece, deciden intentar vivir juntos, generalmente en un acuerdo de exclusividad, algo así como un prematrimonio de prueba. Si todo va bien, finalmente se casarán.

Vivir juntos representa algo diferente para cada pareja. Los grados de conexión y compromiso pueden ser desde muy débiles hasta muy fuertes. Como no se intercambian votos de compromiso públicamente, el significado que la relación tiene para los miembros de la pareja no es evidente para las personas externas ésta, que pueden tener una idea clara acerca de la relación o bien pueden encontrarse casi totalmente a oscuras al respecto.

Benjamín y Melanie se conocieron en la universidad. Después de graduarse, se mudaron a Nueva York y rentaron un departamento juntos. A veces, son amantes; otras veces salen con personas distintas y viven juntos como compañeros de piso. Hasta el momento, ambos están satisfechos de vivir juntos de esta manera: compartiendo gastos y algunas partes de sus vidas, mientras mantienen otras áreas por separado. Luego de algo de confusión, sus padres han aceptado con cautela este inusual acuerdo.

Jenny y Jack se unieron después de haber estado casados previamente: ella luego de un matrimonio breve y Jack después de uno de veinte años, seguido por un segundo y corto matrimonio. Se conocieron en el trabajo y desarrollaron una amistad que poco a poco se convirtió en romance. Después de vivir juntos durante algunos meses, Jenny quería casarse. A pesar de que Jack la amaba, no podía comprometerse en otro matrimonio. Aunque fue difícil para Jenny, ésta accedió a dejar de presionarlo al respecto. Luego de cinco años de vivir juntos, cuando Jack se sintió emocionalmente «casado», pudo comprometerse legalmente. La madre de Jenny quedó conmovida.

Yussul y Sasha unieron las casas y los hijos de dos matrimonios previos en una sola familia, mudándose juntos a nueva ciudad, comprando una nueva casa, compartiendo las vacaciones con todos sus niños, ayudándose en el cuidado de los padres, ya mayores, de cada uno. Aunque no se casaron y siempre aseguraron no tenerlo planeado, todas sus amistades siempre los concibieron como una pareja totalmente comprometida. Para sorpresa de todos, decidieron celebrar su veinticinco aniversario de vivir juntos contrayendo matrimonio. En sus encantadoras invitaciones para la boda afirmaban ¡no poder dejar de amarse!

Kent y Alexa se conocen desde la escuela y han vivido juntos durante catorce años. Ambos tienen vidas ajetreadas con carreras de tiempo completo, así como muchas otras actividades, y han decidido que no tienen tiempo para niños. Forman una pareja unida, pero como tener hijos no es parte de su proyecto futuro, no planean casarse nunca. Sus padres están decepcionados por no tener nietos, pero han aceptado su unión por completo.

Mientras dos de estas parejas se casaron al final, las otras dos probablemente no lo hagan, y, en la actualidad, serán poco o nada condenados socialmente por lo que en otros tiempos hubiera sido escandalosamente juzgado como «vivir en pecado», lo que resulta afortunado para ellos, pues trabajar en un compromiso de relación a largo plazo es una labor lo suficientemente difícil como para agregar la carga de la desaprobación social. ¿Qué ha cambiado el concepto de «vivir en pecado» al de vivir con «un ser que se ama»?

Desde los tiempos de las culturas ancestrales hasta algún momento del siglo pasado, vivimos en una sociedad predominantemente agraria donde el principal medio de subsistencia era el trabajo de granja. El único bien hereditario era la tierra, los hombres generalmente eran los únicos beneficiarios, no existían métodos de anticoncepción efectiva y un infante nacido fuera del matrimonio, así como su madre, estaban virtualmente condenados a la mendicidad. Esto generó la necesidad de establecer un orden social extremadamente rígido para garantizar la efectividad de los derechos de herencia y de clase social. La institución que ofrecía esta garantía era el matrimonio. Para que funcionara, debía ser una institución sacrosanta e inviolable. Debido a los relevantes cambios ocurridos durante los últimos cien años (incluyendo el tránsito de una sociedad agrícola a una época industrial, hasta llegar a la era de la información, así como el desarrollo de métodos antoconceptivos eficaces) un amplio espectro de ocupaciones y carreras ha reemplazado la herencia de la tierra; las mujeres ya no son concebidas como «productoras de niños» y han alcanzado una paridad básica con los hombres; asimismo, la necesidad de mantener líneas rígidas de sucesión se ha desvanecido. Con ella también se han desvanecido los imperativos sociales y económicos que requería el matrimonio convencional, además de que los restos de desaprobación social que pesaban sobre el divorcio y el hecho de vivir juntos sin estar casados han desaparecido casi por completo. Sin embargo, la nueva libertad conlleva nuevos retos. Para las parejas que escogen no casarse, ¿cuáles son los sustitutos de los votos matrimoniales con que cuentan para mantenerse juntos, para dar sentido a sus vidas?

Resulta interesante que las respuestas parecen encontrarse en las mismas herramientas que dotan de sentido y duración a los mejores matrimonios: relaciones cercanas, atentas y un compromiso profundo. Cada pareja debe dirigir su propia búsqueda de estos elementos.

Trabajar en la Relación

Para algunas parejas, la ausencia de votos maritales significa que aún no han articulado el significado de su relación. Muchas parejas encuentran difícil hablar del asunto y para ellos parece resultar más fácil «simplemente vivir juntos» y esperar que, de alguna manera, todo salga bien.

Otros temen asumir el compromiso del matrimonio o, sencillamente, no desean casarse nunca, y vivir juntos les parece una opción más fácil y segura. Mientras que esto puede eliminar algunas complicaciones legales, no elimina ninguno de los factores esenciales, ni tampoco la importancia de la comunicación, necesarios para construir una relación exitosa.

Una buena señal de que el proceso de construcción de una relación ha comenzado es descubrirse hablando de ello.

Para algunos jóvenes, esto marca la transición hacia una relación «seria». Para aquellos que viven juntos de manera casual, una señal de que se han convertido en pareja es que «su relación» se convierte en un tema de conversación. De hecho, incluso después de establecer la intimidad sexual, hasta que se desarrollan discusiones sobre la relación, probablemente sean menos «una pareja» que «amigos cariñosos».

Para que las relaciones funcionen exitosamente, estén casados o no, los miembros de la pareja necesitan explorar, discutir y desarrollar un corpus de comprensión mutua acerca de su relación. Idealmente, éste es un proceso progresivo en constante evolución, con nuevos entendimientos y clarificaciones que se articulan a medida que los sentimientos cambian con el tiempo. Mantenerte al día sobre tu relación con tu pareja y la comprensión mutua son ingredientes importantes de una relación exitosa.

Cuando las parejas que no están casadas exploran y aprenden acerca de su sentir sobre temas como la importancia que tienen el uno para el otro, la fuerza de su afecto y amor, el papel que ahora juegan y quieren jugar en la vida del otro, así como los deseos y expectativas que tienen sobre su futuro juntos, es algo benéfico. Incluso aunque sus sentimientos mutuos no estén totalmente claros o desarrollados, compartir estos temas ayuda a desarrollar la confianza mutua y le da seguridad a la unión. Sin ello, la relación puede sufrir. Aun más, falsas expectativas y serios malentendidos pueden permanecer ocultos, dando por resultado después sentimientos heridos y dolorosos pasos en falso.

Los más vulnerables a estos peligros probablemente sean las parejas jóvenes que no están casadas, temen que su relación no sobrevivirá un examen minucioso y deciden de manera tácita esperar lo mejor en lugar de poner el tema a discusión. Probablemente «lo mejor» sería armarse de valor para descubrir los hechos antes de invertir más de sus vidas en una relación cimentada en la vaguedad y en la incertidumbre. Si no encuentran nada sólido, pueden seguir adelante en la búsqueda de una pareja más prometedora. Si encuentran que existe una base real para permanecer unidos, habrán comenzado el invaluable proceso de construir un futuro real juntos.

Compromiso

Para muchas parejas que viven juntas, un factor de tensión sobre la relación puede ser que ésta exista sin alguna expresión de compromiso. Esto puede dejar la puerta abierta para que uno de los miembros pueda marcharse cuando haya enojo o conflicto. La opción de que uno de los miembros de la pareja abandone la relación puede ser una fuente de temor y vulnerabilidad que genere un clima de inestabilidad en toda la relación.

Por tanto, hacer y recibir un compromiso real sobre la relación es un ingrediente importante para generar estabilidad y satisfacción, estén casados o no.

Sin embargo, muchas personas tienen dificultades para hacer ese compromiso. Algunas veces, esto refleja un cuestionamiento o insatisfacción subyacente respecto a la relación. Para otros, contentos con su relación, los problemas para establecer un compromiso provienen del temor a sentirse atrapado: «¿Y si no funciona?»; «¿Y si llegara alguien mejor?»; «¿Qué tal si descubro que, sencillamente, quiero ser libre?» Estas personas (por lo general más hombres que mujeres) no han aprendido aún la verdad del dicho «el que no arriesga, no gana». Al igual que en el resto de la vida, ciertamente no hay garantía en las relaciones; pero si no estás dispuesto a hacer tu mejor apuesta, nunca sabrás lo que podrías haber ganado.

Para otros, el impedimento proviene de un malentendido acerca de lo que es un compromiso, al concebirlo como una promesa que se hace a la pareja, como una obligación que se contrae, del tipo «en las buenas y las malas, en la pobreza y en la riqueza, en la salud y en la enfermedad», aquel famoso y durante mucho tiempo reverenciado fragmento del voto matrimonial.

Sin embargo, el verdadero compromiso está separado del voto matrimonial. Es una promesa hecha con uno mismo de que se será leal al ser amado, de que, a partir de aquel momento estarás dedicado a esa persona y a esa relación. Es una promesa para ti, no para tu pareja. Cuando le comunicas esta importante promesa a tu pareja, oí hecho de declararlo públicamente le agrega fuerza a tu decisión para, mantenerla, además de que el saberlo fortalecerá la cercanía y la confianza en tu pareja.

Esta promesa personal está vinculada con tu integridad, y por tanto es un factor importante de la manera en que te ves. Por ello, cumplir tu compromiso con tu relación de pareja es una parte esencial de tu autoestima. Violar tu promesa sería violar tu capacidad para confiar en ti. Es un elemento funda, mental de los sentimientos que tienes sobre tu persona.

Asimismo, comprometerte en una relación es un paso muy significativo en tu crecimiento como una persona responsable y plena, mente funcional, además del importante papel que juega en la cimentación de la relación con tu pareja.

Las parejas que viven juntas con un alto grado de aceptación, comprensión y compromiso, mantienen una relación tan fuerte como la del matrimonio. Aquellas que viven juntas prescindiendo de estos ingredientes se arriesgan a enfrentar problemas significativos una vez que la luna de miel se acerca a su fin.

A medida que las cosas se asientan y las ilusiones se convierten en realidad, el trabajo en el fortalecimiento de la relación es de importancia vital para la felicidad tanto de una pareja que no está casada, como para las que lo están. Y como no existe un compromiso legal hacia el otro, se puede argumentar que trabajar en el fortalecimiento de la pareja es aun de mayor importancia para las parejas que no están casadas.

Para las parejas que no están casadas y que viven juntas, los siguientes Pilares pueden resultar especialmente útiles.

Pilar 1. Fijar Metas

Como el hecho de vivir juntos prescinde de los símbolos y artilugios legales, sociales y religiosos del matrimonio tradicional, articular sus Metas Compartidas y Acordadas para la relación y para ustedes mismos como individuos puede proveer una beneficiosa y muy necesaria estructura. Esto puede resultar particularmente útil en las relaciones nuevas donde tal vez aún no se haya discutido y acordado lo suficiente sobre las metas. Articular y trabajar en las Metas Compartidas y Metas Acordadas ayudará a propulsar los proyectos de la pareja hacia el futuro, haciendo más real la idea de hacer una vida juntos, así como a elevar la confianza de ambos en que la unión durará.

Pilar 5. Utilizar la Forma Poderosa de Escuchar

La Forma Poderosa de Escuchar es especialmente útil para ayudar a las parejas recién unidas a conocerse mejor en un nivel más profundo y establecer contacto a un nivel más profundo con los deseos, necesidades, temores, sueños, esperanzas y la humanidad del otro. Esto se vuelve aun más valioso a medida que el periodo de hormonas felices de la luna de miel comienza a apaciguarse y los inevitables defectos humanos de tu pareja comienzan a aparecer. La Forma Poderosa de Escuchar y la Forma Poderosa de Escuchar Ligera son las ventanas que te permiten mirar hacia el interior de tu pareja. ¡Desarrolla tu habilidad para escuchar y enriquece tu relación incorporando tempranamente este importante hábito!

Pilar 6. Olvidar el «Unas Por Otras»

La tentación de creer que «lo que es bueno para uno es bueno para el otro», es una mentalidad que se manifiesta de manera acentuada en las uniones recientes, aunque nunca desaparece por sí misma. Es, al mismo tiempo, una de las herramientas más atractivas y más nocivas que una pareja puede emplear para castigar, manipular y evadir la responsabilidad. Desde el comienzo de tu relación, ¡no cedas a esta tentación!

Pilar 8. Aprender a Manejar Temas Espinosos (Sexo y Dinero)

Aunque el sexo y el dinero son temas de interés evidente para las parejas que viven juntas, la parte más importante de este pilar es el último párrafo: la Conexión de Corazón a Corazón. Las parejas que viven juntas, ya sean relaciones recientes o que han pasado la prueba del tiempo, deben recordar mantener la conexión que hay entre ellos, ese «hilo invisible entre sus corazones». Visualizar ese valioso lazo puede mantener los problemas en la perspectiva de que siempre serán de menor importancia que su relación.

Pilar 10. Cambiar Comportamientos, No a Tu Pareja

Este pilar evitará que te destroces intentando pedirle peras al olmo que es tu pareja (pues realmente no lo puedes cambiar) y te ayudará a concentrarte en la tarea mucho más productiva de cambiar los comportamientos que te desagradan. Esta actitud, que favorece la apertura honesta en lugar de la culpa y la manipulación, satisface tus necesidades prescindiendo de los sentimientos desagradables generalmente involucrados en una confrontación, además que es una herramienta útil para cuidar de tu relación.

Pilar 11. Resolver Conflictos y Desacuerdos

Este es un punto sumamente importante para las parejas que no están casadas, donde los conflictos ignorados o mal resueltos son especialmente peligrosos para la salud y longevidad de la relación. Aprender a solucionar los conflictos de forma adecuada cada vez que surjan, de manera que ambos satisfagan sus necesidades, es un aspecto crucial para el éxito de la relación. Cuando la pareja establece el compromiso mutuo de satisfacer las necesidades de ambos, la relación crece en suelo fértil.

Pilar 14. Crecimiento Personal

En las relaciones recientes puede resultar demasiado fácil perderse en una suerte de comunidad llamada «nosotros» que, ante la felicidad de haber encontrado a ese alguien tan maravilloso, parece ser todo lo que se necesita. Cuando regresas a la realidad, el Pilar 14 sugiere maneras de nutrir tu crecimiento como un individuo en constante desarrollo, lo que te hará ser una pareja más centrada y más valiosa que nunca. ¿Quién querría dejar una relación con alguien así?

Pilar 16. Fomar Nexos

Sin un acta matrimonial que los mantenga unidos, las parejas que viven juntas pueden beneficiarse considerablemente de la unión adicional que se obtiene al forjar un fuerte vínculo emocional. Mientras más fuerte sea este lazo, obtendrás más seguridad y una mayor satisfacción en tu relación. ¡Termina de leer y comienza a formar nexos! Finalmente, las parejas que viven juntas deben hallar la manera de resolver los mismos asuntos que sus parientes casados. De ustedes depende definir lo que quieren lograr juntos y hacer que funcione. Una relación es y siempre será lo que ustedes dos hagan de ella. Las herramientas básicas son el amor y el cariño, sostenidos por las tres condiciones que fomentan el crecimiento y los 16 pilares de un Matrimonio de Clase Mundial.

La literatura trata más sobre tener sexo y menos sobre tener hijos.
La vida es exactamente al revés.

David Lodge

2. Los Hijos y la Relación

El nacimiento del primer hijo genera un impacto impresionante en la relación de los nuevos padres. Nada que haya ocurrido antes puede preparar a la pareja para el cambio que ocurrirá en su dinámica, ni siquiera los largos meses del embarazo, porque incluso entonces aún son esencialmente tan solo dos.

Tan pronto como el esperado bebé llega, el foco de atención principal de la vida de los nuevos padres cambia en un instante, de satisfacer y disfrutarse mutuamente como amantes y amigos, a convertirse en los responsables del cuidado de un emocionante, demandante e inicialmente desvalido nuevo ser humano. Aunque el infante poco a poco se irá haciendo menos dependiente a medida que pase su infancia y adolescencia, continuamente necesitará absorber más atención de sus padres de la que ellos podrán darse mutuamente durante la mayor parte de dos décadas.

En pocas palabras, tener un hijo es el suceso que más alterará la relación entre tu pareja y tú, seguido por el divorcio o la muerte.

Los Factores de Tensión

Los padres que entrevistamos acerca de los efectos buenos y malos que los hijos producen en las relaciones, estuvieron notablemente de acuerdo con los efectos indeseables que el tener hijos había provocado en sus matrimonios, y aceptaron la oportunidad de compartir su experiencia sobre el terna con sorprendente gusto... «¿Quieres saber cómo los hijos afectan el matrimonio? Dejame contarte». Los efectos que más les alivió comunicar fueron:

- Reducción del tiempo disponible para estar juntos.

- Falta de tiempo, de privacidad o de impulso sexual.

- Desacuerdos en torno a la crianza y expectativas sobre el hijo.

- Siempre estar cansados.

- Nunca tener la oportunidad o la energía para salir a cenar o ir al cine a relajarse.

- Molestias por la desigualdad de responsabilidades entre los padres.

- Resentimiento provocado por éstos y otros problemas.

Charles, quien trabaja en casa, y Marie, una mamá de tiempo completo, tienen dos chicos llenos de energía de cuatro y siete años, y un matrimonio fuerte y pleno de amor. Ésta es la descripción de algunos de los problemas que experimentan:

> Cero sexo. Siempre estamos demasiado cansados para el sexo. Y nuestro ánimo está tan alterado por las necesidades y los deseos de nuestros hijos, que, cuando hablamos, ya estarnos enojados... aunque no entre nosotros, ¡pero se contagia!

> Estamos en constante tensión; vivimos con una suerte de «mentalidad de estado de alerta» (¿qué se rompió ahora?). Peleas. La noria de necesidades sin fin. Sobrellevar la jornada de 24/7 (24 horas, 7 días a la semana).

> No tienes tiempo para ti. Cualquier momento disponible es para tu pareja, pero nunca hay tiempo disponible.

> La nuestra es una situación a largo plazo; sabemos que habrá poco descanso. Convertirse en padres es una decisión

que altera la vida... los hijos necesitan atención constante. Tener hijos representa el fin de las tentaciones egoístas como tomar vacaciones.

La experiencia de Charles y Marie también tiene otra cara, a la que posteriormente regresaremos. Pero la pregunta aún sigue en pie: ¿por qué el enorme impacto que provocan los hijos en la vida de los padres y en su relación es ignorada o embellecida tanto por los padres y amigos, así como por los medios y la sociedad en general?

Sospechamos que existen dos razones. La primera es que tener hijos es una simple necesidad de perpetuar la especie, por lo que mantener su atractivo posee un fuerte valor instintivo de supervivencia. Nadie quiere abolir la maternidad.

En segundo lugar, la reducción del romance, la energía y la libertad de los padres se compensa con nuevas satisfacciones que se centran en los esfuerzos para hacer un buen trabajo, al convertir este mágico material en bruto en una persona exitosa y totalmente funcional.

Las Satisfacciones

Mientras que convertirse en padres puede causa un desajuste muy grande, también conlleva una serie de satisfacciones y recompensas únicas. En contraste con la unanimidad expresada acerca de los significativos impactos negativos, se nos reportó una sorpresiva gama de efectos positivos sobre la relación. Los siguientes son algunos ejemplos:

- Estamos disfrutando las recompensas de ver a nuestros hijos tener éxito y conseguir lo que desean.

- Encontramos una meta común al criar a nuestros hijos.

- Hacen que nos mantengamos jóvenes y activos.

- Tenemos un intenso sentido de compromiso a partir de algo que logramos.

- Tener hijos ha ampliado nuestro enfoque de lo individual a lo familiar.

- Los hijos nos dan una motivación para el futuro.

- Nos sentimos satisfechos por haber formado una familia.

- Es un reto para ser responsables y compasivos.

- Nuestros dos niños nos ayudaron a sanar nuestros corazones luego de perder a nuestros primeros dos hijos.

- Nos dan perspectiva en un mundo que no para nunca.

- Nos deleitamos al ver la alegría que recibimos de ellos.

- ¡Nunca nos aburrimos!

- Los hijos son un recordatorio de que no debemos de discutir ni gritarnos.

- Nos acercaron al forzarnos a trabajar juntos para hallar formas de sobrellevar la adolescencia.

- El amor de los hijos elevó nuestra felicidad y autoestima, por lo que somos más felices como personas y más felices en nuestro matrimonio.

- Nos hacen apreciar mejor las habilidades y fortaleza de la pareja.

Entre las parejas con las que hablamos, hay cuatro historias que resultan especialmente elocuentes en cuanto a las satisfacciones que los hijos llevaron a la relación. Lindsay y Will tienen una hija en edad preescolar quien les ha dado las siguientes gratificaciones:

> Compartimos algo maravilloso: ¡nuestra hija! Por consiguiente, compartimos el gran amor, la alegría y el orgu-

llo que sentimos por ella. Este sentimiento de alegría compartida nos hace sentirnos más conectados y más involucrados el uno con el otro. A algunas personas no les interesa oír todas las pequeñas cosas maravillosas que ella hace, ¡pero Will siempre querrá escucharlas!

Como soy hija de padres divorciados, quise trabajar duro en mi relación con Will para mantenerla sana y fuerte para nuestra hija, de manera que pudiéramos ofrecerle una familia feliz. Es como una razón adicional para invertir en mi matrimonio.

Dos profesionistas, Stephen y Jeanette, cuyo hijo de 12 años nació en su madurez temprana, describen el impacto positivo que ha, tenido en su matrimonio:

Tener a Blair nos ha dado algo de qué hablar además de arquitectura y medicina. Nos mantiene jóvenes, hacemos cosas que nunca haríamos si no tuviéramos un hijo. Nos estimula intelectual y físicamente. Nos hace reír. Hace que realicemos cosas juntos como familia; si no lo tuviéramos, todo lo que haríamos sería trabajar. Probamos cosas nuevas (a Jeanette ahora le gusta el béisbol), conocemos gente nueva, discutimos sobre temas diferentes, asistimos a juegos de pelota, aprendimos a utilizar la Internet, disfrutamos del perro que tenemos por él. Y, cuando ha habido tiempos difíciles, el hecho de haber asumido juntos la responsabilidad de su bienestar ¡ha mantenido nuestro matrimonio!

Charles y Marie, de cuyas pruebas con sus dos enérgicos hijos hablamos anteriormente, también han obtenido satisfacciones por haberse convertido en padres:

Tener a los niños nos ha dado un enorme sentido de plenitud que no teníamos cuando éramos sólo una pareja casada. Además, nos sentimos como miembros completos de la sociedad: escuela, deportes, médicos, reuniones, coordinarnos con otros padres para recoger juntos a nuestros chicos, fiestas de cumpleaños y todas esas cosas. Nuestro amor y el orgullo que sentimos por sus logros (cuando anotan un gol, sus tareas artísticas, etcétera) es una satisfacción maravillosa. Asimismo, el amor que ellos nos expresan es profundamente conmovedor. Su inocencia, sus genuinos sentimientos de cariño. Además, cuando nos escapamos, somos amigos y amantes de nuevo. La tensión desaparece y el amor que sentimos se reaviva inmediatamente. Así que en verdad lo tenemos todo.

Janet y Harvey, quienes han visto a sus hijas alcanzar los veinte y veintidós años, resumen bien los efectos positivos que el haberse convertido en padres ha tenido en su matrimonio:

> Nosotros vemos el criar a los hijos como un zigzag muy interesante. Para hacerlo bien, tienes que invertir tiempo y energía, lo que a su vez suma presión al matrimonio. Pero si realizas ese sacrificio, realmente obtienes una recompensa, no sólo por los hijos, sino por la satisfacción que deriva del trabajo en equipo como matrimonio. Ciertamente, desde el principio, una de nuestras principales metas fue formar una familia.

Nuestra conclusión, aunque quizá no sea muy sorprendente, es que, mientras las parejas por lo general coinciden en que las satisfacciones de tener hijos sobrepasan las presiones y esfuerzos que conllevan, aun así estos últimos constituyen una necesidad importante de adquirir nuevas formas de alimentar la cercanía entre la pareja.

Aplicar Los Pilares

¿Qué pasos puedes tomar para enfrentar estos retos? Estos son algunos de los pilares de un Matrimonio de Clase Mundial que pueden ser de ayuda.

Pilar 1. Es mejor para todos si la decisión de tener un hijo es tomada por ambos padres desde la perspectiva de una **Meta Compartida**. Sin embargo, en muchos casos, los hijos llegan en el momento en que llegan y los planes para criarlos se desarrollan después. En cualquier caso, céntrate en la crianza de tu hijo como una Meta Compartida, algo en que ambos padres participen juntos. Además de esto, revisa y amplía tus **Metas Previamente Acordadas**. Como una persona que tiene que responder a las exigencias de tu pareja, tu hijo y tu trabajo, necesitarás más que nunca recibir apoyo para que puedas realizar alguna actividad que sea realmente importante para ti como individuo, incluyendo dejarte algo de tiempo libre, no importa cuánto, para realizarla. Toma en cuenta el apoyo de tus hijos mayores así como el de tu pareja, y no te des por vencido.

Pilar 2. Mantente especialmente alerta contra la tentación de **Culpar** a tu pareja, a tus hijos, a tu trabajo. Las constantes presiones que provoca el ser responsable de niños pequeños y en crecimiento tienden a sensibilizar el temperamento y culpar puede convertirse en un paliativo fácil. Procura hacer un constante esfuerzo para recordar que todos (tu pareja, hijos o quien sea) *están haciéndolo lo mejor que pueden* dadas sus circunstancias (y eso te incluye). Recuerda reconocer tu fatiga y frustraciones, y expresar esos sentimientos en **Lenguaje–Yo** en lugar de achacarle montones de culpas a tu pareja o hijo. Como Marie nos dijo: «Nunca culpo a nadie. Si comenzara a culpar a Charles en medio de todo esto, ¡creo que sería el comienzo del fin!»

Pilar 3. **Asumir la Responsabilidad Propia** es más importante que nunca cuando te conviertes en padre o madre. Debes asegurarte de que tus propias necesidades estén satisfechas. Para satisfacer las necesidades de tu familia (tu pareja y tus hijos) debes estar en tanta plenitud como te sea posible. Si tu vida está vacía, o casi, ¿qué te queda para dar a tus seres amados? Sacrificarte sin fin es el camino más dañino que puedes tomar, pues conduce a tu propio agotamiento, a que se vacíe tu vida. Haz lo que sea necesario para lograr un balance entre el cuidado de tus hijos y el tuyo propio, así como el de tu pareja. Permite que el resentimiento te guíe; si lo sientes, significa que estás fallando en cuidarte. En ese caso, convoca a una reunión familiar, págale a alguien para que cuide a tus hijos y puedas salir, llama a tu madre o a un consejero: ¡haz lo que sea necesario para llenar tu vida de nuevo!

Pilar 5. Usar la **Manera Poderosa de Escuchar** puede ser el pilar más importante de todos para los padres asolados. Si cualquiera de los dos se siente deprimido por las presiones y el duro trabajo de criar un hijo, el tener la capacidad de sacar todas tus frustraciones y enojos con una pareja empática y comprensiva, que te permita sentir tanta frustración y molestia como sientas, puede resultar increíblemente sanador. Nunca subestimes el poder de ser capaz de expresarte plenamente sin que te digan que tienes que cambiar, o mejorar o contenerte. La habilidad para darse un regalo así el uno al otro en momentos de tensión vale su peso en oro.

Pilar 10. Los preceptos contenidos en el pilar **Cambiar Comportamientos, no a tu Pareja** resultan especialmente útiles, pues una de las fuentes más comunes de fricción son los desacuerdos con la pareja respecto a la crianza de los hijos. Es mucho mejor confrontarse sobre una acción de crianza específica que confrontar una postura. Expresa tus temores más que tus teorías; revela tus sentimientos en lugar de condenar a tu pareja. Espera que tu pareja tenga una actitud defensiva, pero intenta captar el lado humano que yace detrás de su acción de defensa y reconoce que siempre estará haciéndolo lo mejor que puede. Después de esta confrontación sin juicios, puede que tu pareja cambie o no, pero su relación seguirá intacta, así como los derechos de ambos en cuanto padres independientes y pareja.

Pilar 14. El **Crecimiento Personal** es un pilar especialmente importante para las madres de tiempo completo que se quedan en casa. El trabajo es tan agotador y al mismo tiempo tan absorbente, que puede hacer difícil la continuidad de tu desarrollo propio como ser humano. Pero, una vez más, el egoísmo iluminado es el camino a seguir. Haz lo que sea necesario para continuar con tu crecimiento intelectual, emocional y espiritual, planeando con tenacidad el tiempo que dedicarás a tu crecimiento y vivacidad, haciendo uso de todas los recursos de que puedas disponer, como libros, cintas, sistema de educación abierta, clases por televisión y aprendizaje por Internet. Las recompensas son grandiosas: la emoción de aprender, convertirte en una persona más interesante para tu pareja, tener más que dar a tu familia y ser un modelo más útil para tus hijos, al inclinarte por la educación y el crecimiento, contra el sacrificio y el estancamiento.

Pilar 15. **Nutrir la Luna de Miel** es una actitud que puede tender a perderse en el alboroto de criar a los hijos, pero la intención es más importante que el tiempo. Un breve ejemplo que sirve de metáfora para muchos casos: vemos familias que asisten al cine y se sientan en el orden madre–hija–hijo–padre... ¡Es más fácil tomarse de la mano si los dos se sientan en el centro! No permitas que el romance muera.

Pilar 16. **Forjar Nexos**. Si sigues el espíritu de los 16 pilares de un Matrimonio de Clase Mundial para minimizar los efectos negativos de criar a los hijos y maximizar las satisfacciones y alegrías que esto puede darte, la evidencia sugiere que convertirse en padres puede ser una de las más poderosas pruebas de fuego para forjar un vínculo fuerte y duradero entre tu pareja y tú. Las parejas que entrevistamos con uniones intactas y cuyos hijos ya han crecido hablaron de su relación como de haber atravesado una larga pero satisfactoria tormenta para alcanzar una relación más cercana y madura que antes. ¡Tener hijos puede ser un verdadero forjador de nexos!

En resumen, el impacto que tener hijos imprime en la relación de pareja es muy vasto. Aunque, a final de cuentas, las satisfacciones generalmente sobrepasan las dificultades, exhortamos a las parejas a que reconozcan las importantes presiones que implica convertirse en padres, así como a tomar pasos positivos para proteger su cercanía. Esto implica volverse más efectivos en la formación de los hijos mediante el aprendizaje de técnicas mejoradas de crianza, utilizando recursos tales como el programa Padres Eficaz y Técnicamente Preparados y recordando aplicar los pilares del Matrimonio de Clase Mundial que sean pertinentes.

Aquí el hombre no es el enemigo, sino la otra víctima.

Betty Friedan

3. Lograr que los Hombres se Comuniquen

Introducción

Aunque el título del presente capítulo puede sonarle familiar a muchas personas, tanto hombres como mujeres, algunos lectores del sexo masculino podrían sentirse ofendidos al sentir que implica que los hombres son innatamente menos capaces o están menos dispuestos a comunicarse que las mujeres. Podrían sentir que estamos discriminando a los machos de la especie, haciéndolos ver como ineficaces en este asunto así como necesitados de la intervención de un experto para equiparar las habilidades superiores de las mujeres. Aclaremos este punto.

Antes que nada, existen grandes diferencias entre individuos (más que entre hombres y mujeres) en cuanto a la habilidad para expresar ideas y comprender lo que se escucha. No sabemos de la existencia de diferencias innatas entre las habilidades comunicativas de hombres y mujeres; sin embargo, un estudio reciente realizado por la Escuela de Medicina de la Universidad de Indiana en el que se utilizó un proyector de resonancia magnética funcional (FMRI, por sus siglas en inglés), reveló que la manera en que hombres y mujeres oyen es estructuralmente diferente. Mientras escuchaban una novela que les era leída en voz alta, la mayoría de los hombres en el estudio mostraron tener actividad exclusiva en el lóbulo temporal izquierdo, mientras que las mujeres mostraron dominancia en el lóbulo temporal izquierdo, pero también registraron actividad en el lóbulo temporal derecho. El doctor Michael Phillips, radiólogo y coautor del estudio, comenta que su interés es descubrir qué es lo normal, y «cada vez más parece que lo que es normal para los hombres puede ser diferente de lo que lo es para las mujeres, aunque eso no significa que uno sea mejor que el otro». El doctor Joseph T. Lurito, coautor del estudio, agrega que «no sabemos si la diferencia se deba a la forma en que somos criados o si está impreso en el cerebro. Nunca podremos saberlo con certeza».

En la interacción humana, las diferencias se manifiestan generalmente en la comunicación y la comprensión de las emociones y sentimientos. En muchas relaciones, ninguno de los miembros de la pareja tiene problemas de comunicación en estas áreas; en otras, es la mujer la que está emocionalmente bloqueada. Pero, ya sea debido a las diferencias biológicas o la manera en que se educa a los hombres en muchas culturas, el hombre es generalmente el miembro de la pareja con más dificultades en aquellas relaciones donde la comunicación es un tema a tratar.

Dado que es una fuente de mucho dolor y frustración tanto para los hombres como para su pareja, consideramos que requiere atención especial. Esperamos que el lector pueda sentirse identificado con lo que nosotros vemos como un importante problema humano ampliamente experimentado, aunque por supuesto no de manera exclusiva, por los hombres.

La Socialización de los Hombres

Es un juego cruel el que jugamos con nuestros hijos. Les decimos «sé valiente», «no llores», «compórtate como un hombre». Los enseñamos a ignorar, a minimizar, a pasar por alto y sobreponerse a los sentimientos de debilidad. Los enseñamos a ser fuertes y no acobardarse al enfrentarse al peligro. Los enseñamos a no tener ciertos sentimientos «que no son de hombres».

Luego, veinticinco años después, nos casamos con uno de estos hombres y le decimos: «Hablame... Exprésame tus sentimientos, quiero estar cerca de ti».

Nos preguntamos por qué es tan difícil para este adorable hombre abrirse y compartir sus sentimientos con la persona que más ama. Nos quejamos de que «este hombre es más insensible que una piedra». ¡Vaya sorpresa!

La mayoría de los hombres no fueron premiados cuando niños por ser sensibles ni por compartir sus sentimientos. Fueron criados para ser valientes (como si esto significara no estar en contacto con sus sentimientos) para negar esta parte de sí mismos.

Además, durante su vida adulta, a los hombres se les continúa premiando por ser fuertes y capaces, por tener una mano dura, por ser capaces de «sobreponerse a sus sentimientos». Ésa es la cultura del lugar de trabajo donde los hombres se desenvuelven. Como Warren Farrell lo pone en su libro *Las Mujeres No Pueden Escuchar lo que los Hombres No Dicen* (Women Can't Hear What Men Don't Say, ver bibliografía). Los hombres reciben su paga por ser un «humano que hace», no un ser humano.

Para complicar las cosas, por otra parte, muchas mujeres todavía buscan a un hombre que cuide de ellas, como un «humano que hace» el cual conserva habilidades neandertales para ser un grandioso cazador y protector contra las fieras. Al igual que las mujeres, a quienes por lo común se les valora a partir de su belleza física, a los hombres generalmente se les considera atractivos por sus logros profesionales: la reina de belleza y el millonario. Ninguno de estos criterios promueve el lado humano de las personas.

La presión social de ser fuerte es muy poderosa y desencadena una presión sutil pero persistente sobre los niños/hombres para que desconozcan ciertos aspectos «problemáticos» de su experiencia interior. Lo trágico de esto es que, cuando niegas partes de ti mismo, como se les enseña a hacer a millones de niños en todo el mundo, dichas partes finalmente se vuelven inaccesibles. Cualquier cosa que se guarda «al fondo del cajón», o con la que no se permite experimentar, se convierte en algo negado o reprimido. El desafortunado producto de años de negación y represión es que algunos importantes componentes emocionales del ser quedan amurallados, endurecidos, si no es que inaccesibles. Un hombre que siempre ha creído que mostrar su lado «débil» (sus sentimientos de temor, soledad, incertidumbre) es algo inaceptable, tarde o temprano dejará de percibir que tiene estos sentimientos. Cuando se le pregunte si está preocupado o molesto por algo, es probable que responda «no particularmente».

No estará mintiendo. No estará minimizando. Sencillamente, no tiene ese sentimiento. Se le ha enseñado que ese tipo de emociones no son aceptables en él, y ha sido lo suficientemente socializado como para que crea que ya no experimenta este tipo de sentimiento problemático. Nada parece afectarlo. Puede incluso ir a la batalla sin mostrar temor alguno. Esto es lo que tradicionalmente le hemos pedido a nuestros hombres y ellos han aprendido a hacerlo.

Pedirle a un hombre así que «comparta» es provocar tu frustración y la de él. Por supuesto, la capacidad de hacerlo está en alguna parte de su interior, pero no le será fácil (cuando no le resulte imposible) acceder a ella, si no recibe terapia intensiva.

Los Problemas de la Negación

La situación es todavía más complicada: cuando los seres humanos utilizan la negación como una forma de manejar los sentimientos problemáticos, este primitivo mecanismo de protección provoca el desestabilizador hábito de bloquear también otros sentimientos. Así, cuando negamos nuestros sentimientos de temor, por ejemplo, es probable que tengamos dificultades para experimentar también alegría. La negación es un mecanismo de protección no específico. Por tanto, usarlo con los sentimientos problemáticos disminuye la capacidad de la persona para experimentar sentimientos placenteros. Estas personas tienen menos bajas anímicas pero también menos altas emocionales: la montaña rusa de la vida tiene menos contrastes y se vuelve un paseo llano.

Michael y Patricia salen muy seguido a acampar y a caminar juntos. Patricia habla con emoción de cada aventura: la belleza del campo, los animales, las flores, los pájaros y cualquier cosa que vean. Michael centra su atención en asegurar que todo esté bien empacado y que no se olvide nada.

Megan y Frank acaban de comprar su nuevo hogar. Megan está ansiosa por pintar y decorar la alcoba. A Frank sólo le interesa asegurarse de tener el dinero para pagar las cuentas.

Cuando su padre murió, Nathan se veía conmovido, pero nunca habló de ello. Su único comentario fue: «¿Qué se podía esperar? Tuvo un infarto».

Muchos hombres pagan un precio terrible por no haber tenido acceso durante la infancia a su gama completa de emociones. No tener permitido sentir miedo o llorar, ni poder exhibir cualquier rasgo emocional asociado con «poca hombría», le enseña al niño a volverse estoico, insensible, inconmovible. En otras palabras, los hacen, sin duda, fuertes guerreros; pero estos poderosos guerreros probablemente no podrán ofrecer la intimidad emocional que sus esposas quieren.

Colin tiene que trabajar con un jefe problemático. A pesar de sus valiosas contribuciones, su jefe lo ignora ampliamente, además de que resulta difícil soportar las duras críticas que le hace. A pesar de que él minimiza estoicamente estos sentimientos al llegar a casa, su esposa, Jean, percibe su dolor, pero carece de las habilidades necesarias para ayudarle a experimentarlo. Colin, que ha sido muy bien entrenado como «humano que hace», alimenta la angustia de Jean al justificar la actitud de su jefe y minimizar los efectos que provoca en él; esto preocupa todavía más a su esposa, quien desearía que Colin pudiera reconocer el maltrato que recibe y hablara con su jefe al respecto o cambiara de trabajo.

Dick y Katherine han estado juntos durante cuatro años. Dick rara vez expresa sus sentimientos acerca de algo y a Katherine le molesta que él nunca exprese su amor por ella, salvo cuando ha tomado unos tragos; sólo entonces sus sentimientos afloran y Katherine puede volver a escuchar lo importante que es para Dick. Ella desearía que él fuera capaz de prescindir del licor para decírselo.

Warren es contador, y se siente como en casa cuando está rodeado por computadoras y hojas de cálculo, aunque es menos fluido en el lenguaje de los sentimientos. Sus hijos llaman la atención al respecto cuando lo descubren limpiarse furtivamente una lágrima al final de una película: «¡Miren a papá, está llorando!», anuncian. Warren soporta esta pequeña humillación y hace todo lo que puede para borrar las huellas de esta debilidad momentánea y recobrar su normal compostura.

Al ver estos ejemplos, resulta obvio que el complejo de «hombre muy hombre» que inculcamos en nuestros varones daña su habilidad emocional para reaccionar de una forma que va en contra de sus propios intereses. Se limita su experiencia en algunos aspectos de la vida y puede frustrarse a las personas que quieran tener una relación de intimidad y cariño con ellos.

La Complejidad de Nuestras Expectativas hacia los Hombres

Una parte del problema radica en que entrenamos a los niños para que no experimenten sus emociones «delicadas», y esto se les refuerza cuando adultos en el trabajo. Además, está el yin–yang de las parejas maritales que quieren que su hombre sea un «humano que hace» exitoso y que, al mismo tiempo, sea capaz de establecer una intimidad emocional. El resultado final de esta doble expectativa es un exceso del movimiento femenino, que ahora parece exigir hombres completamente involucrados en el hogar y el cuidado de los hijos, sensibles ante las necesidades de la mujer por tener un trabajo satisfactorio, hábiles emocional y sexualmente, además de todavía fuer tes y exitosos en su profesión.

Se espera mucho del hombre actual, y es muy poco lo que se hace para ayudarlo a triunfar en este nuevo paradigma de hombría. Educados para triunfar de acuerdo con los viejos estándares, ¿cómo desarrollarán la capacidad de ser exitosos en este mundo nuevo y emocionalmente complejo?

Cómo Generar las Condiciones para el Crecimiento

Hoy en día, la sociedad pide a los hombres que crezcan. ¿Cómo puede lograrse? La literatura científica ofrece una clara perspectiva de las condiciones que crean la capacidad para crecer. Se trata de nuestras viejas amigas Empatia, Aceptación y Genuinidad (o Congruencia). Sabemos que los terapeutas profesionales que proponen estas condiciones a sus pacientes tienen éxito al apoyar el cambio de personalidad que ayuda a los hombres a desarrollar la capacidad de manejar sus problemas de manera exitosa. Más aun, las investigaciones demuestran claramente que estas *tres características son los factores más importantes para ayudar al paciente a manejar sus problemas*; mucho más importantes que cualquier otra variable en la relación terapeuta–paciente.

¿Por qué un miembro de la pareja habría de ofrecerle menos a la persona que ama?

Los hombres, como cualquier ser humano, necesitan empatia, aceptación y prosperar en relaciones que sean auténticas y congruentes. Un matrimonio (o cualquier tipo de unión con cercanía emocional) debe estar fundado e infundido por estas tres poderosas condiciones. Cuando dichas condiciones se encuentran libremente disponibles de manera continua en la relación para ambos miembros de la pareja, se genera un clima donde ambos pueden sentirse emocionalmente seguros.

De la seguridad surge el crecimiento, y del crecimiento puede surgir la capacidad de experimentar y expresar emociones profundas. A partir de esto, se generan la intimidad emocional y un profundo sentimiento de cercanía. Para los hombres, así como para aquellas personas con habilidades emocionales limitadas, éste puede ser un camino lento pero seguro que los libre de la rigidez emotiva y la impotencia.

La necesidad de hacer realidad este cálido y útil escenario es muy grande. Muchas relaciones comienzan con hombres emocionalmente indispuestos unidos a mujeres que sólo tienen habilidades rudimentarias para expresar Empatia, Aceptación y Genuinidad. Desafortunadamente, la situación inversa es también común, y mujeres emocionalmente indispuestas se unen a hombres sin habilidades de empatia.

Cómo Generar el Cambio en Tu Relación

¿Cómo puedes desarrollar la capacidad de ofrecer estas tres poderosas condiciones en tu relación amorosa?

Comienza con la firme intención de seguir este camino y el acuerdo mutuo de trabajar en tus capacidades para ofrecer estas condiciones (una Meta Compartida). Después, establece un plan para desarrollar las habilidades relacionadas con la Manera Poderosa de Escuchar (lo que generará Empatia y Aceptación) y del Lenguaje–Yo (que dará Genuinidad). Trabajen juntos en el dominio de estas habilidades, reconociendo que les tomará tiempo y esfuerzo desarrollarlas plenamente. Motívense a hablar y compartir con regularidad, de manera que ambos tengan la oportunidad de practicar su habilidad para escuchar y para confrontarse con el Lenguaje–Yo, para que resuelvan sus conflictos y que ambos satisfagan sus necesidades. Generen un clima de crecimiento, de compartir, de desarrollo conjunto, una atmósfera segura creada por ustedes que les permita convertirse en personas capaces de ofrecer las condiciones que favorezcan el crecimiento personal y en pareja.

Como parte de tu trabajo en el desarrollo de la Manera Poderosa de Escuchar, concéntrate en estar pendiente y retroalimentar a tu pareja sobre el comportamiento no verbal, así como sobre sus palabras. Presta atención a las señales sutiles con que cuentas: cambios en la expresión facial, el lenguaje corporal, el tono de voz. Las personas pueden aprender rápidamente a observar y comprender las señales no verbales de su pareja. Hace mucho, me di cuenta de que Ralph inspira profundamente por la nariz cuando está molesto; lo sé incluso antes de que diga palabra alguna. Cuando está realmente molesto, inspira dos veces. Otras parejas reportan lo siguiente: «Craig tuerce la quijada cuando está enojado». «Por la forma en que María entró al cuarto, supe que algo andaba mal». «Si él no habla, algo grande está pasando».

Utiliza la Manera Poderosa de Escuchar para advertir con cuidado las señales no verbales que observes («Pareces molesto, Craig») y, entonces, si es posible, ofrece de manera delicada una llave para abrir la puerta: («¿Quisieras hablar de ello?»). Muestra seriedad, interés y confianza. Procura demostrar que hablar contigo es seguro, confiable. Procura escuchar y haz todo lo necesario para contenerte de ofrecer tu consejo o cualquier otro comentario o pregunta que pudiera desviar de cualquier forma la dirección conversacional que tu pareja desee seguir. Dale la verdadera oportunidad de compartir contigo. Cumple con tu parte para hacer que esto ocurra; aprende a usar estas beneficiosas habilidades.

Albert está casado con una mujer mucho más joven que él. Aunque siempre ha gozado de excelente salud, teme que, a medida que avance su edad, pueda padecer ciertas enfermedades o debilitamiento. Él siente que no tiene el derecho de haberse casado con una mujer más joven para luego caer enfermo, por lo que teme que cualquier señal de enfermedad resultaría profundamente preocupante para su esposa. Recientemente ha sentido dolor en el pecho y teme comunicárselo a ella, por lo que prefiere reservarse su preocupación.

Dammon no ha sido feliz durante los últimos tres años, y sabe que es por su trabajo. Se siente atrapado en un callejón sin salida y no sabe qué hacer. No sabe qué es lo que quiere y teme considerar otras opciones por el impacto que provocaría en su familia, de la que él es la principal fuente de sustento. Se siente deprimido y está preocupado por su futuro.

Si eres la pareja de estos hombres, seguramente desearás ayudarlos a que bajen de su pedestal de superhombres fuertes y estoicos. Abandona cualquier exigencia que les obligue a seguir siendo «humanos que hacen». Si deseas desarrollar una intimidad emocional con una pareja en conflicto, y todas las parejas entran en conflicto en algún momento, debes hacer las paces con el hecho de que esta aparente torre de fortaleza también puede sentir miedo, debilidad, dolor, arrepentimiento y tristeza. En la medida en que tú misma te reconcilies con estos sentimientos y puedas aceptarlos en tu pareja, crearás la seguridad para pueda experimentarlos y te los exprese. Esto abrirá la puerta al verdadero crecimiento.

Con el tiempo, con un compromiso compartido por los miembros de la pareja y dirigiendo los esfuerzos a la construcción de habilidades, pueden ocurrir cosas maravillosas. Tu grado de comodidad y tus habilidades se desarrollarán de manera que te convertirás en alguien capaz de escuchar y tu pareja se sentirá más a gusto de compartir contigo sus preocupaciones personales; asimismo, tu pareja estará más sintonizada con sus emociones mediante tu aplicación de la Manera Poderosa de Escuchar, relacionando sus comportamientos no verbales con sus expresiones verbales emotivas. Tu pareja logrará tener un mayor acceso a sus emociones a partir de la exposición prolongada en este ambiente emocionalmente seguro y podrá experimentar la oportunidad de ser más auténtica y profundamente él mismo.

No subestimes la importancia de retroalimentar empáticamente y con aceptación los mensajes no verbales de aquellas personas que no son fuertes comunicadores verbales. Hay dos razones de peso para hacerlo: (1) La mayor parte de la comunicación es no verbal (alrededor de 93%), por lo que constituye una rica colección de señales que no deben pasarse por alto; (2) Todos siempre nos comunicamos todo el tiempo. Por ejemplo, el silencio en sí mismo envía un mensaje que la gente reconoce inconscientemente y muchas veces lo interpreta sin pensar en ello como un acto comunicativo. El silencio puede significar Estoy molesto, pero temo expresarlo... Estoy ocupado con mis pensamientos, que son importantes para mí... Estoy demasiado cansado para hablar... Me siento abrumado por todo y ya no quiero pensar en ello... Estoy trabajando en algo y no quiero ser interrumpido. Si comunicas con empatia tu mejor suposición, podrás recibir retroalimentación sobre la precisión de tu decodificación del mensaje no verbal y, de esta manera, marcar el comienzo de una comunicación más verbal.

Pasar por alto la comunicación no verbal y lanzar la queja de que «¡mi esposo nunca se comunica conmigo!» es perder la oportunidad de hacer que tu pareja se sienta más segura de hablar contigo y reducir tu propia frustración y actitud de enjuiciamiento, es decir, perder una valiosa contribución al crecimiento y la cercanía emocional.

La Confrontación Emocionalmente Segura

Aunque la Manera Poderosa de Escuchar comunica Empatia y Aceptación, no siempre es posible proveer estas condiciones de apoyo porque hay veces que no te sientes con empatia ni con disposición hacia la aceptación. Cuando tu pareja hace cosas que te irritan y te causan problemas, se vuelve necesario confrontarle, y mientras que muchas personas temen la confrontación, ésta constituye una oportunidad para lograr la tercera condición de apoyo al crecimiento: Genuinidad.

Como dijimos anteriormente, la confrontación se logra mejor mediante el empleo del Lenguaje–Yo, por medio del cual le expresas a tu pareja la manera en que su comportamiento te afecta, sin culparla. La importancia de la confrontación sin culpa es subrayada por la investigación realizada por John Gottman (ver bibliografía, *The Seven Principies for Making Marriage Work*), en la que identifica el profundo daño causado en las relaciones donde la confrontación tuvo un «comienzo hostil». Gottman entiende por «comienzo hostil» cualquier discusión que se guía por la crítica o el sarcasmo (una forma de desdén). Su investigación demuestra que los comienzos ásperos son un indicador clave para predecir el divorcio, y que se encuentran estrechamente vinculados con otros indicadores como el adoptar una Actitud Defensiva, una Actitud Infranqueable (Pared), inundación y el rechazo a los intentos por arreglar los daños.

Los comienzos hostiles son el inicio de una cascada que dispara muchos de los otros indicadores de divorcio.

Una situación común es la siguiente: la esposa, quien en muchas parejas es el miembro que generalmente identifica un problema y lo lleva a discusión, confronta a su marido con un comienzo hosco y con críticas. El marido adopta una actitud defensiva, experimentando un incremento de la presión sanguínea y cambios hormonales, incluyendo la secreción de adrenalina que dispara la reacción de «pelear o huir». Ésta es la reacción fisiológica conocida como Inundación. Para manejar la Inundación (la sensación de opresión) el hombre se retrae emocionalmente y se resiste a enfrentar el problema. Ésta es la táctica conocida como adoptar una Actitud Infranqueable (Pared). La esposa responde a la Actitud Infranqueable o de convertirse en pared quejándose más del retraimiento emocional de él, añadiendo quizá desprecio a la de por sí explosiva mezcla, y por tanto, reforzando la necesidad de aislamiento de su pareja, lo que exasperará aun más a la esposa... ¡Él es imposible de tratar!... ¡Ella es imposible de tratar!... ¿Qué sentido tiene siquiera intentarlo?... El feliz tiovivo del matrimonio se vuelve cada vez menos feliz y la relación podría estar dentro de poco en serios problemas.

Otras investigaciones realizadas por Robert Levenson y Loren Carter, de la Universidad de Berkeley, en California, revelaron que cuando los hombres se encuentran bajo estrés, su corazón late más rápido que el de las mujeres y se mantienen acelerados por un mayor periodo de tiempo. Dolf Zillman, psicólogo de la Universidad de Alabama, descubrió que cuando los hombres son tratados con rudeza y posteriormente se les pide que se relajen, su presión sanguínea se agita y se mantiene elevada hasta que pueden desquitarse. En contraste, las mujeres que experimentan una situación similar por lo general logran tranquilizarse en un periodo de veinte minutos. Ambos estudios indican que las confrontaciones maritales (especialmente aquellas que se caracterizan por los comienzos con hostilidad) cobran una mayor cuota psicológica en los varones, dejándolos incapacitados temporalmente o con la necesidad de desquitarse de alguna manera para poder relajarse emocionalmente. Por tanto, no resulta sorprendente que un hombre desee evadir las confrontaciones problemáticas siempre que sea posible, y que sea conveniente que su pareja evite los comienzos hostiles en todo momento si desea mantener a su compañero involucrado en la discusión y con una actitud receptiva hacia sus preocupaciones.

Abandonar los patrones de comportamiento dañinos, como las confrontaciones hostiles y con imputación de culpas requiere mucho trabajo. El estilo confrontador se convierte en un hábito como cualquier otro, y los hábitos son notoriamente difíciles de romper. El proceso de monitoreo personal puede resultar engañoso: es fácil pensar que no estás culpando ni criticando tanto como tu pareja lo percibe. Para evitar inculpar a tu pareja, te será de gran ayuda recordar constantemente que tu intención no es culparla o lastimarla, sino comunicar genuinamente tu sentir: descubrirte ante tu pareja de manera abierta y vulnerable, con el fin de incrementar las posibilidades de satisfacer tus necesidades.

El hombre también requerirá trabajar para mantenerse en el proceso y no sentirse abrumado cuando se le confronte. A pesar de lo doloroso que puede resultar el sentirse inundado, esto constituye una reacción familiar que requerirá de calma y disciplina para superarse. Si tu pareja ha establecido el compromiso de disminuir la hostilidad cuando se confronta, a ti te toca recordar que tu pareja tiene la intención consciente de cambiar y debes tener la sensibilidad necesaria para darte cuenta de que esta vez quizá no te esté culpando o criticando como solía hacerlo en el pasado, así como para abandonar tu miedo a que lo vuelva a hacer.

Progresando Juntos

Si quieres gozar los beneficios comunicativos de tu compañero «no comunicativo», es importante que (a) te resistas a emitir cualquier mensaje que lo bloquee, (b) desarrolles tu habilidad para descifrar y retroalimentar los mensajes verbales y no verbales de tu pareja, y (c) erradiques la hostilidad, la culpabilidad, así como las críticas de tus palabras, tu tono de voz y tu intención. Esto requerirá que afines tu habilidad para escuchar y confrontar. Una esposa deseosa de intimidad emocional debe cumplir con su parte aprendiendo a ofrecer las condiciones que propicien la voluntad y la capacidad de su compañero de compartir con más intimidad. Esto no es fácil para las mujeres ni para los hombres.

A los hombres se les exige que desarrollen la capacidad para compartir sus sentimientos así como para involucrarse en relaciones de intimidad emocional. Para un hombre que se concibe como «humano que hace», esto implica un riesgo profundamente temido: descubrir y reconocer, primero ante sí mismo y luego ante su pareja, aquellos sentimientos que desde la niñez se le enseñó a esconder e ignorar a fuerza de ser ridiculizado y desdeñado. Para lograrlo, el hombre deberá aceptar el riesgo de que, a pesar del aprendizaje previo, quizá esta vez (con una pareja amorosa y atenta) puede estar a salvo. Esto implica mirar al tigre a los ojos y caminar hacia él. Reclamar, reconocer, compartir y manejar emociones que llevan largo tiempo borradas requerirá coraje y deseo de sobreponerse a una gran cantidad de señales internas.

Si eres hombre, probablemente esto es lo que tu pareja espera de ti. Eso es intimidad. Eso es compartir. Y es la fibra emocional que estrecha una relación. Tu pareja espera esto de ti, y la sociedad ahora valora al hombre que puede triunfar tanto en el trabajo como en su hogar. El condicionamiento de «hombre muy hombre de la jungla» que los varones reciben es tan poderoso, que es como si se les pidiera que imitaran sus genes y que fueran en contra de todo lo aprendido sobre seguridad y peligro. Pero ni la jungla ni el hombre de las cavernas son ya modelos adecuados; los hombres tienen derecho a experimentar y recibir apoyo para vivir la gama completa de su vida emocional, así como para conocer la intimidad que el compartir dicha gama puede traer a sus vidas.

Si deseas que nuestros hombres puedan desarrollar sus capacidades para compartir íntimamente, sus parejas también deben desarrollarse para convertirse en confrontadoras empáticas, emocionalmente vulnerables, que escuchen sin enjuiciar y sin culpar. Las mujeres deben aportar su mitad a la ecuación si piden que los hombres expongan su ser más profundo. Las mujeres deben ofrecer seguridad para que los hombres puedan hablar, lo que incluye que no les exijan hacerlo. Ambos deben aceptar que éste es un proceso que les llevará tiempo.

El matrimonio y la unión emocional tratan sobre el crecimiento. Para que los hombres se conviertan en parejas completas emocionalmente a pesar del temprano condicionamiento que reciben en nuestra cultura, ambas partes deben tener el deseo de desarrollar sus potenciales como seres humanos y compartirlos con su pareja. El increíble resultado del reto de crecer en tu capacidad para crear y compartir intimidad emocional es que ¡realmente puede expandir tus capacidades mentales! Cada vez un mayor número de investigaciones demuestra que los retos mentales producen estructura cerebral, y que el aumento de capacidades mentales es un obstáculo para el deterioro que conlleva el envejecimiento. ¡Así que un beneficio adicional a la lucha que sostengas por cambiar hábitos dañinos y desarrollar otros nuevos será que se beneficien en general tus capacidades mentales! ¡Esto es un bono extra ciertamente redituable a largo plazo!

Pocos de nosotros, no sólo hombres, tienen la fortuna de llegar a su relación con todas las habilidades comunicacionales que se requieren, así como con la facilidad para compartir con comodidad sus sentimientos más profundos. Para la mayor parte de nosotros, éstas son importantes áreas en las que necesitamos crecer. Aprender cómo ofrecerle a tu pareja un ambiente propicio para crecer y aceptar el riesgo de compartir con intimidad dentro de este ambiente son componentes esenciales para construir la relación. Trabajar juntos en ello puede generar un profundo crecimiento no sólo para el hombre, sino también para su pareja, y en cuanto a la satisfacción que experimentarán en su relación.

Sólo son libres los que se educan.

Epicteto

4. Ser tú Mismo en la Relación

A lo largo de este libro se habla mucho acerca de usar las habilidades de comunicación cuando tu pareja o tú se encuentran molestos o bajo presión. Hemos hecho hincapié en que desarrolles nuevas habilidades para escuchar y hablar, con el fin de mejorar tu habilidad para ayudarse mutuamente, así como a ti mismo en los momentos cruciales en el plano emocional.

Como un amigo psicólogo nos dijo, «¿quién quiere un amigo adiestrado?» La imagen que esto produce es la de alguien que responde mecánicamente, de forma clínicamente «correcta», pero deshumanizada por completo. Ésta sería una lamentable relación amistosa, y un matrimonio aun más lamentable.

Sin embargo, una excelente comunicación externa e interna es de vital importancia para expresar Empatia, Aceptación y Genuinidad. Pero, para la mayoría de las personas, las buenas habilidades de comunicación no se adquieren de forma natural durante el proceso de crecimiento. Por desgracia, la mayoría de nosotros no creció en un ambiente en el que nuestros padres mostraran empatia y aceptación debido a que, en gran medida, el crecimiento es por lo general un proceso estresante en el que cometemos miles de errores que nuestros padres se esfuerzan por «corregir». El proceso de corrección de nuestros errores y de enseñarnos mejores formas para hacer las cosas conlleva críticas y enjuiciamientos. Aunque esto pueda estar motivado por el amoroso deseo de vernos crecer de manera exitosa, es un proceso de crítica y enseñanza en el que, en muchas ocasiones, nuestros padres nos dan las respuestas que deberíamos aplicar para resolver todos nuestros problemas.

Dado que la mayoría de nosotros no recibió grandes cantidades de empatia y aceptación, no poseemos un modelo fuerte en nuestro interior al cual podamos recurrir. Por tanto, a medida que maduramos para convertirnos en adultos, formamos amistades y finalmente una relación matrimonial, la manera que conocemos para «ayudar» a nuestras parejas en el matrimonio cuando tienen problemas es el modelo que aprendimos de nuestros padres: juicios, críticas y consejos, todos emitidos con la mejor intención de ayudar.

Desafortunadamente, la experiencia demuestra que la crítica y el enjuiciamiento no facilitan la capacidad de las personas de desarrollar su habilidad para manejar sus problemas. De esta manera, nos encontramos en la situación de tener que aprender a reemplazar lo aprendido con empatia y aceptación.

Asimismo, necesitamos aprender a ser congruentes: honestos, auténticos, reales. Lamentablemente, nuestras experiencias tempranas (a pesar de que se nos ha repetido infinitamente que la honestidad es la mejor política) nos han enseñado que decir lo que sentimos nos puede traer cualquier tipo de problemas. Aprendemos pronto a encubrir nuestros errores para evitar represalias, a aparentar sentimientos amables para evitar sermones sobre cómo comportarse, y a jugar ciertos roles para que nos tomen en serio. Este aprendizaje incidental pero poderoso por lo general deja nuestra congruencia hecha trizas, y vamos por la vida interpretando el papel que hemos aprendido y que nos evita problemas de la manera más eficaz.

Sin embargo, nuestra pareja podrá crecer mejor si puede confiar en que somos tal como nos presentamos: llenos de empatia, dispuestos a aceptar, genuinos. Por consiguiente, cuando le ofrezcamos abrirnos a Escuchar de Manera Poderosa o a expresarnos en Lenguaje–Yo, deberemos asegurarnos de que nos importa, que no estamos criticando en secreto, y que nuestras reacciones son verdaderas y no inventadas sólo para jugar el rol. Nuestra pareja debe ver nuestro verdadero yo.

El hecho de tener que aprender estas nuevas maneras de relacionarnos en nuestra vida adulta provoca otro problema, uno de carácter temporal. Dado que resultan nuevas para uno, mientras aprendemos, la mayoría de nosotros encontraremos estas maneras de actuar engorrosas y poco familiares. A pesar de lo beneficiosas que resultarán, nuestra torpeza inicial al usarlas genera la impresión de que sonamos como uno de esos terapeutas que se parodia en las películas: rígido, mecánico y totalmente desprovisto de atractivo como ser humano: «Ummm... Veo que tiene un problema».

¿Tenemos que oírnos así? Ciertamente, no. Pero mientras comienzas a aprender estas habilidades, para encontrar tu propia manera de ser congruente, empático y con disponibilidad a aceptar, de seguro te sentirás torpe. En primer lugar, esto se debe a que el mundo que te rodea todavía está atrapado en el modo casi universal de enjuiciar, criticar y aconsejar cada vez que se presenta un problema, por lo que tu nuevo enfoque resaltará como una mano alzada en medio de la multitud. En segundo lugar, porque cuando se está aprendiendo, se trate de habilidades interpersonales o un nuevo deporte, siempre se es algo torpe. Como éste es un fenómeno bien conocido en distintas áreas de la vida, se ha desarrollado una descripción de cuatro fases para la curva de aprendizajes de este tipo. Éstos son los cuatro pasos por los que pasarás durante el proceso de adquisición de nuevas habilidades de comunicación (o de cualquier habilidad):

Fase 1. Ignorancia

No tienes las habilidades ni estás al tanto de no poseer-las. Éste es el «estado de gracia del ignorante». Si has leído el libro hasta este punto, ya no te encuentras en la fase uno.

Fase 2. Conciencia y culpabilidad

Has aprendido cuáles son las habilidades y te das cuenta de que no las has utilizado cuando se ha requerido. Te sientes mal por cómo respondes «naturalmente» cuando los problemas se presentan y desearías poder manejarlos de manera diferente.

Fase 3. Torpeza

Has comenzado a aprender las habilidades y estás trabajando en desarrollar tu técnica. Estás perfectamente al tanto de las dificultades que involucra. En este punto eres capaz de responder correctamente, pero aún eres torpe y te preocupa sonar extraño ante los demás, aunque comienzas a tener algunos éxitos. Te preguntas cuánto durará este periodo de torpeza.

Fase 4. Integración total de habilidades y personalidad

Si continúas practicando tus habilidades cada vez que se presente la oportunidad, finalmente llegarás a esta etapa. ¡Qué felicidad! Aplicas tus habilidades en el momento adecuado de manera automática y natural, sin tener que pensar en ello o recordar cómo se hace. En este punto las habilidades se encuentran totalmente integradas a tu personalidad y ya no se perciben como tales. De esta manera, has incrementado considerablemente tu capacidad para manejar situaciones problemáticas de manera exitosa.

Saber qué esperar durante las cuatro fases te ahorrará perder motivación, pero no olvides que el viaje desde la Ignorancia hasta la Integración implica tiempo y trabajo y, como todo cambio, no resulta fácil. Para manejar con tu pareja la torpeza de las primeras fases, reconócelo de inmediato y acuerden ofrecerse generosas cantidades de tolerancia mientras ambos realizan su mejor esfuerzo para aprender las nuevas formas. Para las demás personas importantes en tu vida, recomendamos que te facilites el proceso diciéndoles que atraviesas por una fase de cambio en tu vida y pidas su apoyo.

Pero, sobre todo, te instamos a que tú y tu pareja mantengan siempre presente el verdadero propósito que yace detrás del aprendizaje de las habilidades comunicativas y los 16 Pilares de este libro: ponerte en contacto con la humanidad del otro. Esto significa:

- Ir más allá de las técnicas y habilidades para descubrir qué tan parecidos son como seres humanos en todas sus necesidades, sentimientos, esperanzas y temores, y ser capaces de conectarse entre sí en formas profundas y satisfactorias.

- Aprender que detrás de todos los pequeños desacuerdos y molestias de la vida, su esperanza y deseo más valioso son apoyarse y cuidarse mutuamente con toda su ternura y fuerza.

- Descubrir, a pesar de todas sus fallas y defectos superficiales, los maravillosos seres humanos que en verdad son tú y tu pareja.

Lo que estás buscando no es una técnica mecánica o incluso una maestría mecánica. Aprender las habilidades y seguir los Pilares de este libro son caminos para redescubrir tu propia habilidad natural e innata para conectarte plenamente con tu humanidad y la de tu pareja, como dos seres humanos que se aman. Ésa es la verdadera meta de un Matrimonio de Clase Mundial.

Conclusiones

Un Matrimonio de Clase Mundial es una relación dinámica, en constante crecimiento y evolución, que siempre se cimenta en la confianza, el cariño, la sensibilidad y las habilidades. Hemos presentado 16 Pilares esenciales que ayudarán a que tu matrimonio sea de Clase Mundial. Sabemos por nuestra propia relación de más de veinticinco años lo profundamente gratificante que esto puede ser. Lo es para nosotros y puede serlo para ti y tu amada pareja.

Para terminar, permítenos recordarte los verdaderos fundamentos:

- Ofrece los dones de la Empatia, la Aceptación y la Genuinidad: los tres ingredientes que más contribuyen al crecimiento personal.

- Comprométete a encontrar las soluciones que satisfagan las necesidades de ambos.

- Responsabilízate de satisfacer tus necesidades en la vida y de desarrollarte como persona.

- Ríndete, discúlpate y perdona cuando sea necesario.

- Alimenta los sentimientos de la luna de miel.

- Finalmente, manten la fortaleza de la conexión de corazón a corazón en todo momento.

Estos fundamentos requieren de práctica y compromiso. Es muy raro que se adquieran de forma natural durante la infancia y, ciertamente, no vienen incluidos con el acta matrimonial. La mayoría de la gente tiene que trabajar duro para reconocer, y luego deshacer, los patrones negativos que practican en la relación con su pareja.

Al reconocer estos patrones, recuerda no culparte (esto no funciona). En lugar de eso, ofrécete una aceptación amable y genuina (eso sí funciona) y sólo observa al viejo patrón irse diluyendo («¡Así soy yo!»). Luego regresa y limpia las cosas con tu pareja, utilizando tus nuevos fundamentos. Bajo este tipo de tratamiento, tus patrones indeseables se debilitarán gradualmente y desaparecerán a medida que los reemplaces con lo aprendido en este libro. Esto puede resultar un proceso difícil, incluso exasperante, pero te traerá muchas recompensas.

Por último, crear un Matrimonio de Clase Mundial es como la vida misma. NO es el producto final el que se saborea, sino el proceso. Y el proceso de crear un Matrimonio de Clase Mundial es uno que involucra el compartir, la intimidad y el goce. Es un largo sendero el que comparten juntos, con maravillosos tesoros escondidos a lo largo de todo el camino.

Estamos convencidos de que lo ofrecido en este libro les será de gran beneficio para su relación, y les mandamos nuestros mejores deseos para que disfruten de un largo y satisfactorio Matrimonio de Clase Mundial.

Bibliografía

Arp, David y Claudia Arp, *The Second Half of Marriage: Facing the Eight Challenges of Every Long–Term Marriage*, Grand Rapids, MI: Zondervan (HarperCollins), 1996.

Barnett, Doyle, *20 (Advanced) Communication Tips for Couples: a 90–Minute Investment in a Better Relationship*, Nueva York, Three Rivers Press, 1997.

Berenson, Bernard G. y Robert R. Carkhuff, *Sources of Gain in Counseling and Psichotherapy*, Nueva York, Holt, Rinehart and Winston Inc., 1967.

Bloomfield, Harold H., M.D., *Making Peace with Your Past: the Six Essential Steps to Enjoying a Great Future*, Nueva York, Harper Collins, 2000.

Bolton, Robert, *People Skills: How to Assert Youself, Listen to Others and Resolve Conflicts*, Nueva York, Simon & Schuster, 1979.

Branden, Nathaniel, *Cómo Llegar a Ser Autoresponsable: Hacia Una Vida Autónoma e Independiente*, Barcelona, Paidós, 1997.

Canfield, Jack y Mark Víctor Hansen, Mary y Chrissy Donnelly, Barbara de Angelis, *Caldo de Pollo para el Alma de La Pareja*, México D.F, Editorial Diana, 2000.

Carlson, Richard, Ph.D. y Kristine Carlson, *Don't Sweat the Small Stuffin Love: Simple Ways to Nurture and Strengthen your Relationships While Avoiding the Habits that Break Down your Loving Connection*, Nueva York, Hyperion, 1999.

Chapman, Gary, *The Five Love Languages: How to Express Heartfelt Commitment to Your Mate*, Chicago, Northfield Publishing, 1995.

Creighton, James L., Ph.D., *Women Can't Hear What Men Don't Say: Destroying Myths, Creating Love*, Nueva York, Jeremy P. Tarcher/Putnam, 1999.

Fisher, Roger y William Ury, *Obtenga el Sí: el Arte de Negociar Sin Ceder*, Barcelona, Gestión 2000, 1997.

J.R. Gibb, «Defense Level and Influence Potential in Small Groups», en L. Petrullo y B.M. Bass [eds.], Leadership and ínterpersonal Behavior, Nueva York, Holt, Rinehart and Winston, Inc., 1961.

Godek, Gregory J.P., *1001 Ways to Be Romantic*, Naperville, IL, Casablanca Press, 1995.

Gordon, Thomas, P.E.T., *Padres Eficaz y Técnicamente Preparados*, México D.F., Editorial Diana.

Gordon, Thomas, L.E.T., *Líderes Eficaz y Técnicamente Preparados*, México D.F., Editorial Diana.

Gottman, John M., *Why Marriages Succeed or Fail... and How You Can Make Yours Last*, Nueva York, Fireside, 1994.

Gottman, John y Cliff Notarius, Jonni Gonso, Howard Markman, A Couple's Guide to Communication, Champaign, IL, Research Press, 1976.

Gottman, John M. y Nan Silver, *Siete Reglas de Oro para Vivir en Pareja: un estudio exhaustivo sobre las relaciones y la convivencia*, Barcelona, Editorial de Bolsillo, 2000.

Hendrix, Harville, Ph.D. y Helen Hunt, M.A., *The Couples Companion: Meditations and Exercises for Getting the Love You Want*, Nueva York, Pocket Books, 1994.

Hendrix, Harville, *Conseguir el Amor de Su Vida: Una Guía Práctica para Parejas*, Barcelona, Ediciones Obelisco, 1997.

Hopson, Derek S., Ph.D. y Darlene Powell Hopson, Ph.D., *Friends, Lovers and Soulmates: a Guide to Better Relationships Between Black Men and Women*, Nueva York, Fireside (Simón & Schuster), 1994.

Jourard, Sydney M., *The Transparent Self*, Princeton, NJ, D. Van Nostrand Company, Inc., 1964.

McKay, Matthew, Ph.D., Patrick Fanning y Kim Paleg, Ph.D., *Couple Skills: Making Your Relationship Work*, Oakland, CA, New Harbinger Publications, Inc., 1994.

Page, Susan, *The 8 Essential Traits of Copules Who Thrive*, Nueva York, Dell, 1994.

Roberts, Cokie & Steve, *From This Day Forward*, Nueva York, William Morrow and Company, Inc., 2000.

Rogers, Carl R., *El camino del Ser*, Buenos Aires Editorial Troquel, 1992.

Rogers, Carl R., *Client–Centered Therapy*, Boston, MA, Houghton Mifflin Company, 1965.

Rogers, Carl R., *El Proceso de Convertirse en Persona: Mi Técnica Terapéutica*, Buenos Aires, Paidós, 2002.

Schnarch, David, Ph.D., *Passionate Marriage: Love, Sex and Intimacy in Emotionally Committed Relationships*, Nueva York, Owl Books (HenryTolt), 1998.

Wagner, Laurie, Stephanie Rausser y David Collier, *Living Happily Ever After: Couples Talk About Lasting Love*, San Francisco, Chronicle Books, 1996.

Waite, Linda J. y Maggie Gallagher, *The Case of Marriage: Why Married People are Happier, Healthier and Better off Financially*, Nueva York, Doubleday, 2000.

Wallerstein, Judith S. y Sandra Blakeslee, The Good Marriage: *How & Why Love Lasts*, Nueva York, Warner Books, 1995.

Welwood, John, *El Viaje del Corazón*, Buenos Aires, Era Naciente SRL, 1995.

Wemhoff, Rich, Ph.D. [ed.], *Marriage: The Best Resources to Help Yours Thrive*, Seattle, Resource Pathways, Inc., 1999.

Acerca de los Autores

Patty Howell y Ralph Jones fundaron Howell–Jones TrainingK en 1995 para desarrollar y distribuir programas y productos de entrena miento que enriquezcan las relaciones y apoyen la salud, la felicidad y productividad de los seres humanos en todo el inundo.

Ralph Jones ha sido encargado de programas centrados en la persona durante más de 25 años. Al trabajar con el doctor Thomas Gordon, presenció la expansión de los programas de Entrenamiento Eficaz hasta que se convirtieron en un fenómeno mundial. Ralph ha impartido cientos de talleres sobre relaciones interpersonales para profesionales y gente común en el mundo entero, y es responsable de la creación de materiales de entrenamiento que ahora se utilizan en cuatro continentes.

Patty Howell es una psicóloga que ha impartido la materia de Educación para Consejeros en la Universidad de Washington, además de haber trabajado para Effectiveness Training International, tanto como directora del programa padre estadounidense, como a nivel internacional en calidad de entrenadora. Es autora de cuatro libros y varios programas de entrenamiento. También trabaja como voluntaria y presidenta del Parque de la Cuenca del Pacífico (Pacific Rim Park), una organización no lucrativa que promueve la cooperación y la buena, voluntad entre China, Rusia, los Estados Unidos y México.

Ralph y Patty, compañeros de relación así como de entrenamiento y escritura, han estado juntos durante 25 años y han enseñado en 14 países. Residentes de San Diego California, con frecuencia disfrutan visitar México.

Para más Información

Patty Howell y Ralph Jones con gusto resolverán las dudas que se les presenten en relación con los talleres para un Matrimonio de Clase Mundial y otros recursos comunicativos:

- Taller de 15 horas, «Matrimonio de Clase Mundial», para parejas.

- «Taller de entrenamiento para entrenadores» para psicólogos, consejeros matrimoniales, y otros profesionales interesados en brindar talleres de «Matrimonio de Clase Mundial».

En California, los cursos de Matrimonio de Clase Mundial son patrocinados en parte por la asociación "California Healthy Marriages Coalition (CHMC). Sus coaliciones asociadas tienen la posibilidad de ofrecer estas clases a las parejas de todo el estado a un costo muy bajo. Para encontrar una clase cerca de usted, entre al sitio **www.CaMarriage.com**.

Si desea contactar a Patty o a Ralph, puede enviarles un correo a la dirección electrónica **HJTrainings@AOL.com** o escríbales a:

Howell-Jones Trainings
1045 Passiflora Ave.
Leucadia, CA 92024
Estados Unidos